Simplemente Martita

Guadalupe Loaeza

Simplemente Martita

PLAZA JANÉS

Se agradece al diario *Reforma* por permitir el uso de las ilustraciones de Paco Calderón

Simplemente Martita

Primera edición, 2004

© 2004, Guadalupe Loaeza Tovar
© 2004, Denise Dresser, por el prólogo
© 2004, Francisco Calderón, por las ilustraciones
D. R. 2004, Random House Mondadori, S. A. de C. V.
    Av. Homero No. 544, Col. Chapultepec Morales,
    Del. Miguel Hidalgo, C. P. 11570, México, D. F.

www.randomhousemondadori.com.mx

ISBN: 970-05-1774-8

Ilustración de portada: Carolina Jiménez Von Humboldt

Impreso en México/ *Printed in México*

Prólogo

por Denise Dresser

Sigmund Freud murió sin responder la pregunta que siempre lo había inquietado: «¿Qué quiere una mujer?» Si hubiera conocido a Marta Sahagún podría haberla respondido con rapidez, por lo menos en el caso de la celayense. Marta Sahagún quería ser esposa de Vicente Fox y primera dama de México, ni más ni menos. Para eso trabajó, para eso planeó, para eso empujó. Logró llegar al lugar en el cual quería estar y ahora parece aspirar a más. Marta Sahagún quiere ser una primera dama como ninguna de las que le han precedido. Quiere ser más influyente y más querida y más admirada y más visible. Quiere tener una plataforma propia y no sólo pararse encima de la que le provee el político con el cual se casó. Quiere ser consorte y co-partícipe, pareja y pareja presidencial, la mujer parada detrás del trono y la mujer sentada en él.

Escribir sobre Marta Sahagún —como lo hace Guadalupe Loaeza— tiene sentido porque en muchos casos, en muchos países, las Primeras Damas han sido determinantes para el éxito de un gobierno o un factor fundamental de su fracaso. En la biografía reciente del presidente estadounidense John Adams queda claro que no daba un solo paso sin consultar a su esposa Abigail. Perón hubiera sido sólo un populista más sin Evita. Eleanor Roosevelt dijo que ella era «los pies» de su esposo, dado que él no podía caminar. Ronald Reagan tomaba decisiones en función

7

de lo que recomendaba el astrólogo de su esposa Nancy. La corrupción de Fernando Marcos encontró su expresión más elocuente en los zapatos de Imelda. La mujer de Fujimori lo odiaba tanto que intentó competir contra él. Tony Blair sería menos popular de lo que es si no contara con el carisma de Cherie. Los matrimonios políticos —unidos por el poder y la pasión— pueden destruir a un país o ayudar a construirlo.

Muchos dirán que las comparaciones no cuajan; que Marta Sahagún no tiene la ecuanimidad de Abigail Adams o la presencia de Evita Perón o la inteligencia de Eleanor Roosevelt o la elegancia de Nancy Reagan o la obsesión por la moda de Imelda Marcos o la estridencia de Susana Fujimori o la formación profesional de Cherie Blair. Pero muchos mexicanos se han equivocado menospreciando a Marta Sahagún. A lo largo de su breve carrera como vocera fue tildada de torpe y timorata, poco preparada y poco experimentada, ingenua e ineficaz. Durante su paso por la vocería de Los Pinos, la revista *Milenio* se pregunta: «¿Está funcionando esta mujer?» El periodista Raymundo Riva Palacio afirma que le queda grande el saco y que debería quitárselo. *The New York Times* menciona que algunas Secretarías prefieren que la señora Sahagún no comente sobre el trabajo que están desempeñando. La vocera se convierte en un pararrayos, una debilidad, un lastre, un estorbo. Vicente Fox se enfrenta a la decisión de despedirla o casarse con ella y Guadalupe Loaeza explora los efectos estremecedores de esa decisión.

Hoy los detractores de Marta Sahagún deben reconocer que la vocera incómoda ha sido más lista de lo que las lenguas largas decían. Cruza una a una las metas trazadas mediante una combinación de constancia y perseverancia. Ya su padre lo decía, en el libro *Marta: la Fuerza del Espíritu*: «Hija, lo que te pasa es que tú no eres terca sino constante». Lo que Marta se propone, Marta logra. Marta quiere que Vicente gane la elección y le ayuda a hacerlo; Marta quiere ser consorte y se aboca a conseguirlo; Marta quiere ser co-presidente y arma el plan de trabajo que le permita desempeñar el puesto; Marta quiere ser candidata presidencial y no se descarta como opción. Con la energía del Trenecito Thomás empieza una tarea diciendo «*I think I can, I think I can*» y la termina constatando «*I knew I could, I knew I could*». Marta Sahagún es el conejo Ever-ready: no para de brincar y nunca se le acaba la pila.

Nadie duda de sus cualidades y Guadalupe Loaeza las describe: es organizada, disciplinada, llena de energía. Nadie olvida a una Marta Sahagún que no perdía el paso durante la campaña; que respondía cada llamada con rapidez; que contestaba cada golpe con un contragolpe; que peinaba al candidato y le sacudía las solapas; que le susurraba en el oído a Fox y le gritaba a los demás cuando era necesario. Nadie olvida a Marta Sahagún concediendo entrevistas constantes, publicando un libro con su efigie en la portada y fotografías de su Primera Comunión adentro. Nadie olvida a Marta Sahagún buscando el reconocimiento y los aplausos.

Tropieza como vocera porque el papel minimiza sus cualidades y exacerba sus defectos. En aquel momento todavía le es leal al presidente pero no entiende cabalmente sus programas. Sabe amar a Vicente pero no sabe cómo explicar exactamente lo que está haciendo. Los buenos voceros presidenciales cultivan a los medios en vez de exhortarlos a portarse bien. Los buenos voceros están preparados para las preguntas difíciles y saben cómo contestarlas. Los buenos voceros rehuyen los reflectores en vez de buscarlos. Los buenos voceros no salen a informar

sobre las decisiones tomadas sino a explicar el impacto que tendrán. Los buenos voceros no defienden la bondad del presidente sino su eficacia. Marta Sahagún no fue una buena vocera pero nació para ser primera dama y desde entonces se regodea en su papel. Cumple al pie de la letra lo que le dijo a su equipo en Los Pinos después de la boda: «No les voy a fallar».

La fotografía de Vicente Fox besando a Marta Sahagún el día de su ceremonia matrimonial le da la vuelta al mundo y genera una oleada de especulaciones. Es posible que tengamos una primera dama diferente a las del pasado —dice un diputado panista— pero será discreta. Su título puede haber cambiado —dice su hermano— pero no parará de hacer cosas; no creo que se retire. Tiene una visión del futuro y cualidades ejecutivas —dice un miembro del gobierno de Guanajuato— pero también una ambición de poder, como lo demostró su presencia desmedida en reuniones de gobierno donde se tomaban decisiones, y en actividades no relacionadas con las relaciones públicas.

Y quienes pronosticaban su protagonismo entonces tienen razón ahora: Marta Sahagún se convierte en una primera dama diferente, pero está lejos de ser una primera dama discreta. La palabra «discreción» y la personalidad de Marta Sahagún son antitéticas. A la señora Sahagún de Fox le gusta salir en la foto, hablar frente al micrófono, recibir besos y darlos, conocer a los presidentes extranjeros y codearse con ellos. Tiene la ambición típica de los «do-gooders», de los que desean hacer el bien sin mirar a quien. Percibe a la política como una misión y le ha entregado «la vida misma». Por ello se rehusa a ocupar un papel ceremonial, tradicional, servicial.

En una primera etapa de su matrimonio, Vicente Fox comparó a Marta Sahagún con Laura Bush, un ejemplo emblemático de la discreción, el buen gusto, la palabra suave, los pies sobre la tierra. Laura Bush es una primera dama refinada cuya única ambición es pararse al lado de su esposo y verse bien junto a él. Es una interlocutora inteligente e importante del presidente, pero no tiene una presencia en el ámbito político. No encabeza cruzadas ni promueve programas ni asume posiciones. ¿Imaginaba Vicente Fox a la primera dama mexicana rehuyendo la atención en vez de buscarla? De ser así, seguramente la señora Sahagún ya lo sacó de su error. Marta Sahagún no es Laura Bush y no se contenta con la suerte común de las consortes.

Como lo describe el libro de Guadalupe Loaeza, conforme transcurre el sexenio Marta Sahagún se convierte en el pararrayos político del hombre al cual ama. Conforme aumenta su visibilidad, aumenta la controversia que genera. Conforme crece su tamaño, crece el diámetro del blanco al cual le tiran sus adversarios. Al cogobernar en pareja, genera la impresion de que tiene a Vicente Fox cogido de una oreja. Parece que ella manda y él obedece, ella le susurra al oído por las noches y él sigue su consejo durante el día, ella toma decisiones y él las lleva a cabo. Al compartir de manera deliberada el poder de su esposo, Marta Sahagún está contribuyendo a su gradual debilitamiento.

«Tengo que ser enfática: el Jefe del Estado mexicano, el presidente de la República es Vicente Fox», declara Marta Sahagún al periódico peruano *La República* cuando surgen las primeras preguntas en torno a su poder. Con esa declaración clava el primer clavo de muchos que vendrán en el ataúd político del hombre al cual dice amar por encima de sí misma. Su aclaración se parece al «no se hagan bolas» de Carlos Salinas de Gortari: busca fortalecer cuando en realidad debilita, busca remediar un error y sólo lo refuerza; busca borrar una debilidad y acaba por subrayarla. Al afirmar que su esposo es el único que gobierna, amplifica la percepción de que no es así. Él es el jefe, pero queda claro que ella es *La Jefa*, como la bautizara la periodista argentina Olga Wornat.

No cabe duda que muchos de los críticos de la primera dama son misóginos y machistas y los defensores de Marta tienen razón en señalarlo. Pero la misoginia, como lo argumenta Guadalupe Loaeza, es un argumento incompleto. A Marta Sahagún se le cuestiona no sólo por ser mujer sino por ser abusiva. Se le cuestiona no sólo porque muchos hombres se sienten amenazados sino porque muchos mexicanos se sienten manipulados. Lo que está en tela de juicio no es su protagonismo como figura femenina, sino su protagonismo como figura política. Marta Sahagún no es controversial por ser mujer sino por ser la señora presidenta.

Marta Sahagún es una figura polarizante porque el público en México y en muchos otros países no está preparado para una presidencia compartida. Y no es por simple sexismo. Lo mismo ocurriría si una mujer ocupara la silla presidencial e invitara a su esposo a sentarse a su lado. La controversia en su caso tiene que ver con el papel razonable y mesurado, correcto y acotado de cualquier cónyuge presidencial. La controversia en su caso parte de la percepción del grado inusual de influencia que Marta aspira a tener. Muchos mexicanos —Guadalupe Loaeza entre ellos— se preguntan y con razón: «¿Por qué quiere tanto poder, si tiene la última palabra en la noche y la primera en la mañana?»

Ella contestará —como ya lo ha hecho— que quiere ese poder para regalar bicicletas y distribuir computadoras y organizar peleas de box. Contestará —como lo hiciera alguna vez Hillary Clinton— que está preparada para lidiar con el calor con

13

tal de quedarse en la cocina. Contestará que la crítica acompaña tanto a aquellos que se mueven como a aquellos que se quedan parados, entonces mejor moverse en favor de México. El problema es que al caminar tan de prisa, de manera tan pública, y con tantos recursos a su disposición, ya ha comenzado a generar mucha animadversión. El libro de Guadalupe Loaeza explica por qué lo hace.

Cada vez más parece que Marta Sahagún quiere hacer el bien aunque le haga mal a la presidencia de su esposo. Cada vez más parece que Marta Sahagún está tan comprometida con su propio proyecto que no percibe como perjudica al de Vicente Fox. No cabe duda que la primera dama es una de las figuras públicas más populares del país. Encuesta tras encuesta revela que México quiere a la Madre Marta de Celaya y aprecia su labor. Pero esa popularidad personal de la que goza no le ayuda automáticamente ni al presidente ni a su partido. Ella genera aplausos que no se traducen en votos, como lo demostró la elección en el Estado de México en julio de 2003. Allí no importó su proselitismo, no importó su popularidad, no importó cuántas veces rezara en las iglesias de Ciudad Satélite. Allí no hubo un «efecto Marta». Allí la «ciudadana panista» no le trajo votos a su partido. Allí el PAN la convirtió en candidata informal y ella perdió de manera abismal.

Frente a los embistes, la señora Sahagún se refugia en la simplificación moral. Con ella están los buenos que quieren a México; contra ella los malos que no lo hacen. Con ella están los ángeles; contra ella los demonios. Con ella están los que aspiran a cambiar a México; contra ella los que quieren preservarlo tal y como está. En su bando están las buenas conciencias, y en el otro las malas lenguas. Ha dividido al mundo en quienes creen en su papel y quienes no lo hacen, en quienes quieren trabajar por el país y en quienes sólo quieren aprovecharse de él. Siente que sus críticos están equivocados y por ello cabalga hacia delante sin escucharlos, aunque Guadalupe Loaeza le sugiere que lo haga.

Para cada crítica, la primera dama tiene una respuesta prefabricada. Los hombres la critican por machos. Las mujeres la cuestionan por odio o por envidia o por falta de solidaridad femenina. Los intelectuales la critican por falta de clase o falta de grados. Los miembros del círculo rojo la cuestionan porque no entienden al círculo verde. Los panistas la cuestionan porque no comprenden que con ella sí pueden ganar. Los perredistas la critican porque temen que venza a AMLO. De un lado están los que quieren a Marta, y del otro están los misóginos. De un lado están los que le aplauden a la primera dama, y del otro están los envidiosos. De un lado están los que quieren ayudar a los pobres, y del otro están los caníbales que quieren comérselos vivos. De un lado están las mujeres que la odian y del otro quienes se solidarizan con ella. Como la mente de Marta está llena de maniqueísmos, allí no caben los argumentos de inequidad o los reclamos de institucionalidad.

Bajo el paraguas protector de la presidencia la primera dama es una mujer «feliz y realizada.» Pero llegará un momento en el cual se encuentre a la intemperie, sin un consorte presidencial que la cobije. Cuando acabe la presidencia de Vicente Fox, acabará la protección política para Marta Sahagún. Y en ese instante, todos aquellos que la aborrecen se abocaran a seguir la ruta del dinero. Investigarán el paso de cada peso. Revisarán cada documento y cada transacción. Auscultarán cada acuerdo tomado y cada contrato firmado. Contarán cuántas veces borró la frontera entre lo público y lo privado. Dado que no es una primera dama parecida a las anteriores, perderá el escudo que la protegía. Y aunque ella ha afirmado que pocas cosas le asustan, a esa probabilidad debe tenerle miedo, mucho miedo.

Pero la señora Sahagún no entiende lo que provoca y a lo que se enfrenta. Lleva tres años respirando en un tanque de aislamiento, desconectada de la realidad, desvinculada de las personas que no dependen de ella y de lo que piensan. Entre la residencia presidencial y el mundo real hay un abismo que ni los helicópteros del Estado Mayor Presidencial pueden franquear. La primera dama habita un lugar en el que todos la tratan como tal. Sólo ve a quienes ella decide recibir o invitar allí. Sólo escucha lo que sus *fans* han decidido que debe oír. Sólo se mira en espejos que la reflejan al doble de su tamaño.

Quizás era inevitable que perdiera el piso. Hace diez años, Marta no era nadie y ahora es la mujer más conocida de México. Hace diez años, Marta no tenía poder y ahora goza su ejercicio. Era una Cenicienta y ahora es una princesa. Era la esposa de un veterinario y ahora es la precandidata del presidente. Rodeada de un séquito de sicofantes, la señora Sahagún ya no sabe medir la distancia entre quién es y quién cree que podría ser. Encerrada en Los Pinos, la señora Sahagún ya no sabe medir la brecha entre la ambición legítima de poder y la pretensión ilegítima de multiplicarlo vía el matrimonio. Cada día parece más glotona y menos generosa, más terca y menos teresiana, más cantinflesca y menos coherente. Lo peor es que no se da cuenta de ello, o prefiere no hacerlo.

Debido a las ambiciones de Marta Sahagún, en México el dedazo ha sido reemplazado por el besote. Sólo así se explica que Vicente Fox alimente las pretensiones presidenciales de su esposa en vez de cortarlas de raíz. Ella le susurra al oído que hay una conspiración contra ambos y él le cree. Ella le dice que no ha decidido si quiere ser presidenta de México y él le cree. Ella le dice que el *Financial Times* sólo contiene calumnias y él le cree. Ella le dice que sólo la satanizan por ser exitosa y él le cree. Ella le dice que la tratan mal y él reforma el reglamento del Estado Mayor Presidencial. Ella le dice que los medios tienen la culpa de todo y él decide chantajearlos. Marta Sahagún tiene —como lo ha dicho— un compañero de vida con el que comparte todo: desde la presidencia hasta la demencia que engendra.

Para el presidente hay algunas preguntas pertinentes y el libro de Guadalupe Loaeza las sugiere: ¿No detiene a su esposa porque no puede o porque no quiere? ¿Decide darle rienda suelta por debilidad o por flojera? ¿Es un hombre manipulado o un político que ya no quiere serlo? ¿Abdica porque sólo confía en ella o ya no confía en sí mismo? ¿Sabe que la presidencia invisible se está convirtiendo en la presidencia risible? Sea cual sea la respuesta, el resultado está allí: Vicente Fox está dispuesto a morir para que Marta Sahagún viva; está dispuesto a jugar el papel de Sansón frente a su Dalila.

Al leer a Guadalupe Loaeza, queda claro que no tiene ningún caso subrayarle a la señora Sahagún el daño que le hace a su esposo. Ella misma ya debe haberle perdido la paciencia; ella misma ya debe de haber pensado que su presidencia está perdida; ella misma ya debe verse como lo único rescatable del sexenio. Dado que Vicente no puede con el paquete, Marta lo cargará. Dado que Vicente no hará nada durante los próximos tres años, Marta hará mucho a partir de 2006. Dado que Vicente no ha podido trascender, ella lo hará por él. Si Vicente —al que menosprecia tanto que quiere remplazarlo— pudo llegar, ella lo hará también. Él dice «por qué yo?», y ella dice «por qué yo no?»

Marta Sahagún entiende algunas cosas del poder. Sabe que los medios lo amplifican; sabe que salir diariamente en la televisión lo produce; sabe que regalar cosas lo obtiene. Y por ello inaugura el salinismo sahagunizado y sustituye la solidaridad priista por la beneficencia foxista. Si Salinas quería ser Gandhi, la señora Sahagún quiere ser la Madre Teresa: sentada bajo los árboles platicando con mujeres golpeadas, descendiendo de los helicópteros para dar discursos, bajando del avión presidencial para regalar bicicletas. Por ello se viste de jeans y entrega cobijas y cepillos de dientes y juguetes de peluche y utensilios de cocina. En su caso, como en el de todos los políticos ambiciosos que la han precedido, crea un vínculo entre caridad y popularidad. Las encuestas revelan lo obvio: a los mexicanos les gusta que el gobierno les dé cosas y ella lo hace.

Pero si no hiciera, sería tan sólo una esposa más. Si no tuviera a su alcance una gran cantidad de recursos públicos, sólo sería una pequeña mujer privada. Si no tuviera a su alcance la gran pantalla de Televisa, sólo sería una pequeña política de Celaya. Si no tuviera a su alcance la oreja presidencial, no contaría con la complicidad (o el miedo) de la clase empresarial. Marta confunde dónde está con quién es. Confunde —y es un mal de familia— la popularidad con la capacidad.

Pero la señora Sahagún no intuye ni percibe ni entiende esta confusión. Cree que con vivir durante tres años en la escuela que es Los Pinos ya puede gobernar el país que es México. Cree que tiene lo que se necesita para ser un presidente eficaz, porque ha sido una primera dama popular. Cree que puede y debe ser candidata presidencial, porque el pueblo de México le tiene un amor real. Pero eso no basta y allí está el ejemplo de su esposo para probarlo. Eso no es suficiente y allí está el fracaso de su cónyuge para constatarlo.

El problema principal que Marta genera para México —y que Guadalupe Loaeza describe muy bien— es que actúa como si fuera la Señora Presidenta cuando sólo es la señora Sahagún. El recelo que despierta no proviene de sus posturas públicas sino porque actúa como si tuviera derecho a asumirlas. «El hombre es nada más que un apetito», dijo alguna vez Jesse Jackson sobre Bill Clinton, y lo mismo podría decirse hoy de Marta. Tiene apetito de ser y hacer, ver y ser vista, trascender y dejar huella, usar el poder y gozarlo. No importa que lo haga en nombre del país, de los pobres o del presidente. El caso es que lo hace y ello acarrea costos para Vicente Fox.

El retrato que pinta el libro de Gualadupe Loaeza sólo refuerza la imagen de un presidente débil, saboteado por la oposición, y manipulado por su mujer. Para quienes ya pensaban que Vicente Fox le había arrendado la presidencia a su esposa, el libro de Guadalupe Loaeza sólo confirma esa impresión. La relación entre Marta Sahagún y Vicente Fox se ha convertido en un juego suma-cero; lo que ella gana, él pierde; lo que ella avanza, él retrocede. Marta ha sido vocera, amante, esposa, copresidenta, posible candidata presidencial y ahora es debilidad histórica.

De *downstairs* a *upstairs*

Unos días más y llegaría la ansiada boda. Después de todo había aprendido a lidiar y a sortear los problemas, las hijas, los medios, los políticos, desde un año atrás. Ya había pasado todo. La entrevista con Adela Micha donde, de sopetón, le había preguntado si estaba enamorada de Vicente Fox. Las declaraciones en *Otro rollo* de las niñas Fox: «La mujer que se llegue a enamorar de mi papá tiene que ser de Vicente y no de Fox presidente», y la negación por parte de ellas: «Y papá Fox, ¿está enamorado?», preguntó Adal Ramones. «No, no, no, no», dijo Ana Cristina. «No, no, no, no», dijo Paulina. «Pero, ¿hay alguien enamorado de papá Fox?» «No, no, no, no», dijeron las dos al mismo tiempo. Como san Pedro hizo con Cristo, fuiste negada no una, ni dos, ni tres, sino infinitas veces. Triste, Martita, triste el calvario de haber subido los peldaños. ¡Cómo te has esforzado! Claro que has ido subiendo y a veces te has despeñado, como a últimas fechas en que por tu cabeza pasó la idea de querer ser candidata a la Presidencia o tu relación con ese asunto lodoso del *Financial Times* y tu fundación Vamos México. Ay, Martita, qué difícil llegar a ser quien tú eres ahorita.

La Silla Presidencial ya no estaba coja, pensamos todos los mexicanos. El que la silla contará con buen equilibrio lo vimos con buenos ojos: creímos que tenía que ver con la estabilidad de millones y millones de mexicanos. Podíamos dormir con más tranquilidad. Ya se podían abrir las ventanas de par en par en Los Pinos, ya no se tendría que ocultar la basura debajo del tapete. Esperamos, los mexicanos y mexicanas, que hubiera orden, estabilidad, un silencio de tantos dimes y diretes. Pero seguimos con las malas noticias, años después de tu feliz matrimonio el país sigue con notas escandalosas de inseguridad, violencia, corrupción, impunidad. Nuestro país de las maravillas, como en un cuento de hadas que creíamos entrever después de tu historia de amor, era ilusorio, puro espejismo. Las imágenes de película de la época dorada del cine mexicano de tu boda, muy al estilo de Gloria Marín y Jorge Negrete, nos hacían pensar en tiempos mejores, en un México aireado y más transparente. No son puras cursilerías, pensamos que eras una primera dama distinta a las demás, con sensibilidad y capacidad para comprender los problemas del país. Eso pensamos.

Tengo entendido que has sufrido demasiado, como con tu primer marido. Yo soy amiga de una conocida tuya y me ha platicado mucho sobre tu vida. De verdad que no te envidio. Esta amiga me contó que Manuel Bribiesca era un hombre muy golpeador y borracho. Para colmo, cuando empezaste a tener mucho éxito en política, tu ex marido te comenzó a tener envidia. Dicen que fue gracias a ti que se pudo sacar el negocio familiar. Tenían una distribuidora de medicina veterinaria. Él también es un panista de toda la vida. Pues bien, a pesar de todo, saliste adelante. Cuando el PAN apareció en escena en Guanajuato en 1991, revelaste una gran capacidad para moverte en círculos políticos. Primero, te convertiste en la ejecutiva principal del DIF de Celaya. Después, en 1994, ganaste la contienda interna para ser candidata a presidenta municipal. Dice mi amiga, que también es de Guanajuato, que hiciste una campaña muy innovado-

ra. No obstante el impacto de tu carisma y entrega, no ganaste. Pero esto no, no y no te decepcionó, al contrario. En 1995, durante la campaña de Fox, empezaste a colaborar como una activista sumamente eficaz. Todavía hasta ahora se sigue comentando el encuentro con 2 mil mujeres que le organizaste, en esa época, a Fox. Esto provocó mucho ruido. Cuando por fin Fox llegó a la gubernatura, en seguida te nombró directora de Comunicación Social, para gran sorpresa del medio, el cual estaba acostumbrado a tratar con hombres rígidos y acartonados.

Dice mi amiga que tienes la virtud de aprender muy rápido y que eres muy hábil para las relaciones públicas. De hecho has ido perfeccionando este atributo, las señoras *high* quieren ahora ser amigas tuyas, ir a tus desayunos, apoyar tus causas, hasta vestir como tú. Según ella, cuando trabajas en este ámbito, eres como un pez en el agua. Hasta me dijo que sólo así sientes una gran libertad, la cual te permite explayar todas tus virtudes. Y no hay duda que las has manifestado. Hablas inglés perfecto. Mientras Fox estaba en campaña, le leías memorias de las campañas de Carter y de Clinton. Por eso pienso que más que una buena esposa, hubieras sido una colaboradora maravillosa para Fox.

Todo el mundo decía que tenías una gran capacidad para el diálogo, que eras muy tolerante, guapa, simpática y sumamente sencilla, cualidades fundamentales para una vocera de la Presidencia. Pero ahora que has subido los siguientes escalones parece que el piso se ha ido alejando mucho, mu-chí-si-mo. Todavía recuerdo el recato y discreción de la toma del primer gabinete en el Museo de San Carlos, hasta pensé: «Lo más probable es que éste será el sello personal de Marta Sahagún». Había entre todos aquellos presentes un tono de sencillez, responsabilidad, sin rollos ni exceso de protagonismo. Sólo Fox presentaba un protagonismo exacerbado, se sentía el Elegido, el Salvador, el Mesías. Yo supongo que tú le dabas apoyo y soporte, lo *coacheabas*. Como aquel «martes negro», el día del debate, cuando le pasaste un papelito diciéndole: «¡Ya vámonos, Vicente!», mientras él continuaba en plena tolvanera con su frase sexenal: ¡¡¡Hoy, hoy, hoy, hoy!!! Ahora los papeles se han invertido. Cada vez más él se ha ido quedando en la sombra para que tú resplandezcas. El cambio de cargo, de presidente a esposo, no le ha sentado nada bien.

Ahora bien, según mi amiga, tú has estado súper enamorada de Fox. Y me lo dice porque asegura que, en realidad, tú no has querido desbancarlo de la mira de la opinión pública. Aunque yo creo que la «ingenuidad» y la ignorancia se dan la mano. Te debo confesar que creo que hubieras tenido más poder como vocera que como *First Lady*. Tener las cámaras y micrófonos siempre enfrente marea. Estar en el escaparate no permite mucha acción porque todo, to-di-to será visto, criticado y discutido. Una lectura de *El príncipe* de Maquiavelo podría haberte hecho mucho, mucho bien. En muchas ocasiones quien dicta y rige la política de un país es quien está detrás de la silla. Ya ves cómo les va aquí en México a las primeras damas. Por más renovador que sea Fox en este sentido, te toparás con muchas limitaciones. Para una mujer tan activa como tú, debe ser terrible estar encerrada en Los Pinos. Supongo que te frustra muchísimo. Además, como primera dama inteligente, trabajadora y autopromotora de tu imagen, has terminado por robarle cámara a tu marido y espero de corazón que esto no te lleve a ningún pleito o discusión con tu Vicente.

Otro aspecto que has ido cambiando es tu *look*, que ha tenido arreglos para bien y para mal. Lo del fleco me pareció un gran acierto. Aunque dejaste atrás la imagen de ejecutiva y vocera formal, y ya de seguro tienes hasta asesor de imagen, lo que de cuna viene es difícil que uno se separe de ello. He insistido que las marcas de casas europeas no son la solución para crear una elegancia natural. Uno debe ser quien es, ni más ni menos. El efecto de *downstairs* a *upstairs* no debe ser tan evidente. Creo que la sencillez es una marca que tuviste en un principio, ¿por qué no regresar a ella?, ¿por qué no aprovechar ese espíritu de mujer que se ha hecho día con día a base de esfuerzo, trabajo y dedicación?, ¿por qué no regresar a lo básico? No escuches las recomendaciones de tus nuevas amistades que apuestan a que la clase se mide por el vestuario y las bolsas y accesorios donde el logotipo se ve a kilómetros de distancia. Di no y aléjate lo más rápido posible.

Pero escuchemos tu voz, tus declaraciones de cuando eras vocera:

A mí no me espanta equivocarme. Todos los seres humanos nos equivocamos y, si no es propiamente una equivocación, siempre se tiene oportunidad de hacer mejor las cosas... De ahí que en ocasiones hay que rectificar; revisar el proceso y preguntarse qué puedo mejorar, qué puedo potenciar, qué estoy haciendo bien y que todo me sirva de ejemplo para seguir haciendo bien lo demás. Pero estos procesos de reflexión y análisis no se hacen sólo a consecuencia de los errores; son sistemáticos, porque si no, a la mera hora perdiste el control y todo lo demás.

A lo mejor a veces aquí me dicen que soy una soñadora, que filosofo y todo lo demás, pero ésa es mi convicción. A este mundo los seres humanos venimos a servir. Y para que tú desempeñes un trabajo de manera correcta, tienes que disfrutarlo, gozarlo, por difícil que sea. Esta área la disfruto; me parece enormemente retadora y, por lo tanto, enormemente apasionante. Me gustan los retos. Soy una mujer de retos… A mí, afortunadamente, los años me han dado experiencias, pero además en el área de comunicación se requiere de una gran sensibilidad, enorme sentido común y amor a tu trabajo, a lo que haces. Yo no estaría aquí si realmente no lo disfrutara, porque a cada rato te enfrentas a caricaturas que se burlan, notas sacadas de contexto, a críticas totalmente infundadas. En el plano meramente humano me gustaría que no sucediera, porque soy una mujer de carne y hueso, con corazón, no soy un robot, soy una mujer extremadamente sensible. Pero esta parte emocional la trato de equilibrar con la parte de la inteligencia y de manera profesional, porque para mí, esto que me duele debe representar dos cosas: oportunidad y necesidad de ser mejor. Un ser humano no puede dejar de ser mejor hasta que se muera. Siempre hay oportunidades para el crecimiento personal. Segundo: yo sí creo en los valores y las virtudes. Y además luego me digo: eso fue ayer, pero hoy es otro día.

Diálogo, diálogo y más diálogo. El presidente es una gente muy abierta, que escucha, con la que puedes dialogar y a la que le puedes decir no estoy de acuerdo por esto o aquello y luego valoras y sales con lo que creemos que es mejor. Pero no es sólo mi caso, sino el de todo el gabinete. Con él se dialoga, se platica, se llega a consensos. Obviamente es el presidente y quien tiene la última palabra, pero no es un hombre impositivo.

Mis tres hijos ya son mayores (29, 25 y 19 años), el primero casado, una esposa maravillosa y tengo una nietecita de un año, vive en León y tiene su vida propia; el segundo, con una empresa propia, soltero, vive en Zamora con mi padre, y el tercero estudia relaciones internacionales en Monterrey. ¿Qué pasa con nosotros como familia? Primero, acuerdos tomados, es decir, somos cuatro personas libres e independientes, responsables de elegir nuestro propio proyecto de vida personal. Pero eso no impide ni que nos comuniquemos ni que nos amemos. Si bien no nos podemos ver con la frecuencia que queremos, tratamos de que haya una comunicación espiritual muy fuerte y un gran respeto del uno por el otro. Ellos no intervienen en ningún asunto relacionado con mi trabajo, con mi vida, ni yo intervengo en las suyas, pero sí platicamos. Aquí la clave está en que ellos saben que tienen a su madre que los ama, y yo sé que tengo a mis hijos que me aman. Todo lo demás es lo de menos.

Déjame decirte que a mí me gusta mucho cocinar; a lo mejor se me ha olvidado un poco, porque ya no lo hago de manera rutinaria, aunque de repente sí. Nosotros no podíamos ir a la mesa ni en bata, ni con tubos. Teníamos que levantarnos muy temprano y estar bien arregladas… Era la disciplina de mis padres y yo la agradezco. Para leer, estudiar y trabajar teníamos un saloncito de estudios; no nos tirábamos en la cama para hacer la tarea. O sea, había una estricta disciplina en la casa, pero obviamente mucho amor.

Mira, cuando voy a Zamora —que es cuando salgo—, voy a casa de mis padres. A lo mejor ahora me he vuelto un poco conchuda, porque bajo a desayunar, a lo mejor no arreglada, pero sí vestida, es la norma. Si me quedo aquí en México y no tengo actividades temprano, sí tomo mi tiempo: voy por un café a la cocina y lo llevo a mi buró, a mi mesa de noche, cojo mi síntesis, la leo con toda calma y demás. Pero no estoy a la vista de nadie, simplemente estoy yo, conmigo misma y eso es padre también, porque estar sólo con uno mismo también ayuda. Veo muy poca tele.

Ahora obviamente veo los noticieros, porque tengo que ver la nota, cuánto tiempo nos dieron, en fin, todo eso es parte de mi responsabilidad, pero a mí no me gusta mucho realmente la tele, prefiero oír música. Hace 25 años que no voy al cine; si acaso, una buena película en video, como ahora que está de moda *Traffic*. Cuando tú me preguntabas si me gusta la tele, te dije que no; me gusta la música y leer. Creo que hay etapas en la vida en que vas tomando diferentes gustos y además buscas lecturas que correspondan a tu momento, a tus necesidades… Luego hay etapas de mayor reflexión: los seres humanos sabemos lo que necesitamos. Nuestra naturaleza conformada de alma, cuerpo y espíritu es muy sabia, y entonces hay momentos en que necesitas un poco más de filosofía. He leído a la misma Santa Teresa —que yo cito frecuentemente en la entrevista con Sari—, los libros del Dalai Lama; me gusta también la filosofía occidental. Acabo de leer dos libros que tienen que ver con ello: uno que se llama *El guerrero de la paz,* un libro chiquito, extraordinario, y otro que está lleno de conceptos muy valiosos, que se llama *El profeta*. En Acapulco —cuando estuve cuatro días de vacaciones—, leí dos libritos curiosísimos: uno que es *Una ventana al cielo* —quizá un poco por esta melancolía y remembranza de la falta de mi madre—, que trata de todo lo que un enfermo terminal y su familia sufren cuando un ser querido se halla en esa situación. Tal vez con él me hice una especie de «haraquiri» mental, pero siento que es un poco por la melancolía, por la ausencia de mi madre. Luego leí otro que se llama *El diablo*, escrito por Enrique Maza, un sacerdote jesuita, donde hace una serie de reflexiones, de estudios sobre la Biblia y los Evangelios, para de alguna manera concluir que el diablo no existe. [Aura] La acabo de leer. Maravillosa… Un excelente libro. Es que hay que ver las cosas como son. Mira: ahora estoy leyendo un libro de Gabriel García Márquez, de los últimos, no recuerdo el nombre en este momento, pero está maravillosamente bien escrito.

Yo estoy convencida que a la familia se le deben trasmitir valores —porque los hijos son como una esponjita, sobre todo en determinada edad—, pero por otro lado estoy convencida también de que la creación del hombre y la mujer —y la belleza del amor en el contacto físico— es [algo] extraordinario, Dios lo hizo, es una realización, es un designio y como tal hay que entenderlo.

Las cuatro últimas preguntas que te formuló la revista *Gente* del mes de mayo de 2000, en la cual apareces a todo color en la portada, resultan, a nuestra manera de ver, fundamentales para conocer una realidad que no deja de provocar a millones de mexicanos muchas dudas respecto a una situación que fue sumamente singular.

P: ¿Cómo te enamoraste de él?

R: Como suceden las cosas bellas, así sin darte cuenta.

P: ¿Hubo empatía entre los dos, así de simple?

R: Absolutamente y respetando cada quien sus propias vidas.

P: ¿Por qué no como primera dama?

R: … yo tengo muy claro que mi destino, mi misión, es servir…

P: ¿… como vocera, como secretaria de Estado o como primera dama…?

R: No me gusta adelantarme a los hechos; me gusta disfrutar el momento, vivir en plenitud el día que vivo porque me parece que es un regalo de Dios. Lo demás llegará a su debido tiempo…

Y todo llegó a su debido tiempo, el jefe de Estado y su colaboradora más cercana se casaron, con todo el torbellino y revuelo que esto causó. Hasta el *New York Times* publicó un extenso artículo titulado «The Office Romance That Has All México Talking», en donde se ponía de manifiesto que, aparte de ayudar a Fox a obtener el triunfo a la Presidencia, «también ama a su jefe, Vicente Fox, y habla abiertamente acerca de sus sentimientos por él...». *Proceso* también te dedicó la portada con «Amor en Los Pinos». Jesús Silva-Herzog Márquez, en *Primer Plano*, que se transmite por canal 11, comentó: «Yo creo que tiene [la relación] una consecuencia pública que a mi juicio es muy delicada, porque el hecho de que exista [...] una relación íntima, personal, amorosa entre dos figuras públicas, una subordinada de la otra que a su vez tiene funciones de coordinación con otros actores políticos, creo que genera una distorsión de esta relación profesional, de esta relación jurídica que debe existir entre el presidente de la República y sus colaboradores». Por su parte, Sergio Aguayo se preguntaba si tenías un poder desproporcionado, el cual iría más allá de tu cargo de vocera de la Presidencia, tal como sucedió con José María Córdoba con Carlos Salinas. «Rasputín lo tuvo», agregó Federico Reyes-Heroles. Carlos Elizondo se refirió a la ambigüedad y a la credibilidad de quienes nos gobiernan. Y Francisco Paoli Bolio hizo referencia a la relación entre López Portillo y su amante Rosa Luz Alegría, la cual fue nombrada secretaria de Turismo.

Sí, dejaste el cargo, es verdad, pero sólo en apariencia. Parecería que has asumido un cargo que ni siquiera existe en el organigrama, el de vicepresidenta. ¿Dónde está todo lo que habías dicho de que sabías reconocer tus errores? ¿Dónde quedó tu sencillez? ¿Dónde están aplicadas todas tus lecturas de sabios y santos? Dice la Biblia que uno de los peores pecados es el escándalo. El escándalo perturba, confunde y confronta. El escándalo hace que uno piense mal del otro. El escándalo provoca alboroto y mucho ruido. El escándalo es desenfreno, desvergüenza y mal ejemplo. El escándalo tergiversa, desinforma, difama y es irreparable. El escándalo es recurso de perdedores. El escándalo ocasiona daño y ruina espiritual. ¿Por qué, entonces, Martita, te empeñas en estar, causar y vivir en el centro del escándalo? Ya eres primera dama, ya tienes la sartén por el mango, por favor usa el poder ¡bien!, ¡bien!, ¡bien! Acuérdate que los peldaños del poder siempre, siempre son muy resbaladizos…

La pareja presidencial

¿Se acuerdan de aquella vez en que Marta Sahagún organizó un concierto de gala en el Castillo de Chapultepec para recaudar fondos para su organización Vamos México en octubre de 2001? Bueno, no sé si fueron invitados o tal vez decidieron no ir porque el boleto costaba entre setecientos y mil dólares. Lo que no creo es que no hayan ido porque no les gusta Elton John, quien justamente donó su actuación a tan noble causa. Pero aunque no hayan asistido, estoy segura de que se acuerdan que todo el mundo empezó a decir que la Primera Pareja de nuestra nación eran: Foximiliano y Martota. No crean que les recuerdo esto por ardida ni por amargada, porque aunque en esa ocasión me tuve que conformar con oír mi disco de *Greatest Hits* de Elton (que ya está medio *donnée au fromage*) en mi estudio y con las pantuflas puestas, pensando en qué me hubiera yo puesto para la elegante ocasión, la verdad es que hasta me dio pena el numerito de nuestras máximas figuras públicas.

Pero ése no fue el primero ni el último de los escándalos que han fomentado el señor y la señora Fox. Desde antes de tomar la Presidencia, esta pareja ya suscitaba inquietud entre la opinión pública por la ambigüedad de sus relaciones profesionales/afectivas y, luego, pues nos han traído en vilo por la ambigüedad en los atributos del puesto que desempeñan y su relación con el ejercicio del poder. Una de las más sonadas indefiniciones fue aquella por la que no sabíamos bien a bien qué pasaba con el novio y la novia en Los Pinos.

¿Por qué Fox exponía a Marta Sahagún a una situación tan embarazosa? A pesar de ser una mujer preparada, inteligente y excepcionalmente leal, la situación en la que se encontraba era muy vulnerable. Ni era totalmente vocera. Ni tampoco era totalmente primera dama. ¿Por qué vivía en Los Pinos? Que yo sepa, ningún otro de los colaboradores de Fox vivía en la residencia presidencial. Hablando en plata, ¿cómo quería Fox que consideráramos a la señora Sahagún, como profesionista, aquí y en el extranjero, si no sabíamos cuál era realmente su rol? Supongamos, pues, que hubiera sido su novia («sweetheart», como decía *The New York Times*), ¿por qué recibía un salario del Estado? ¿Acaso eso no se llama nepotismo? ¿No creía que la que más salía perdiendo de todos es ella, Marta Sahagún? Cuando pasen muchos, muchos años, y se refieran a ella, ¿de qué manera lo harán: como la ex vocera del ex presidente Fox, como su ex amante, o como la primera dama?

«¿Ya se pronunció el hombre?», solía preguntar mi padre, muy serio, a una de mis hermanas mayores, la cual llevaba de novia más de cuatro años. Entonces era muy niña y no entendía la inquietud de mi papá. Era evidente que lo que deseaba era que el novio le propusiera matrimonio a su hija. Gracias a Dios, el hombre, por fin, se pronunció y ahora es uno de mis cuñados consentidos. Por fortuna nuestro señor Presidente no tuvo más remedio que ¡¡¡pronunciarse!!! Con ello cesarón los rumores, chismes y dobles mensajes.

La verdad es que estaba yo muy satisfecha con el pronunciamiento. En esa época quise mantener un espíritu positivo por el amor que rondaba en las altas esferas de nuestro país, inspi-

rándonos a todos, mi mente se puso festiva y, por ende, me puse a pensar en la ocasión que hace feliz a casi todos los mexicanos, las Navidades. Con un ambiente tan tierno y tan bonito —pensaba yo— imagínense que la pareja recibe las miles de canastas impersonales llenas de latería (a veces caduca) y de botellas de sidra Santa Clós. ¡Qué decepción! Imaginaba yo a Martita observando con desgano tanto regalo anodino y falto de personalidad que muestra sólo el desinterés en la persona que se quiere agasajar. No, no, no, me decía a mí misma, había que ponerse a pensar bien lo que se les mandaría en la primera Navidad que pasaban juntitos en Los Pinos o en cualquier otra del sexenio.

Pero «y a él, que seguramente lo tiene todo, ¿qué se le podría regalar?». Puesto que estamos viviendo una nueva era, imaginamos que a Vicente Fox no le gustaría recibir regalos ostentosos. Es más, estamos prácticamente seguros que incluso sugerirá a su gabinete rehusarlos. Algo nos dice que los tiempos han cambiado también en lo que se refiere a los presentes ofrecidos por los típicos lambiscones, los eternos «grillos», los inevitables buscadores de «hueso», y los clásicos parientes que no dejan de salir por todos los estados de la República. De ahí que se nos hubiera ocurrido poner a su consideración una lista de sugerencias, que además de ser sumamente económicas, pensamos que corresponden, de una u otra manera, a la controvertida personalidad de nuestro presidente.

Dado lo florido del vocabulario del señor Presidente, se le podría regalar la edición corregida y aumentada de *Picardía Mexicana*. Igualmente y con el mismo objetivo, es decir, el de nutrirse del habla popular, podría complementar el regalo anterior con el famosísimo libro *Dichos y Dicharachos Mexicanos*, el cual puede usted obtener en la librería Porrúa de Madero. Para balancear su conocimiento sobre el mismo tema, valdría la pena pensar en hacerle llegar un *Diccionario de la Real Academia Española* o los dos tomos de María Moliner. Asimismo, y hablando de libros, no le vendría mal una biografía de don Benito Juárez, ya sea la de Ralph Roeder o bien la de Bulnes. Con todo el respeto que nos merece, hemos podido percatarnos que la Historia de México no es su fuerte. De ahí que recomendemos una de las obras de más fácil lectura, que incluya específicamente el episodio de la expropiación petrolera, para que en el futuro no confunda la fecha exacta en que tuvo lugar este suceso tan importante para los mexicanos. También por qué no pensar en un diccionario que contuviera nada más la palabra «Hoy», en todos los idiomas.

Guadalupano como es Fox, estamos ciertos que una Virgen de Guadalupe que hable le sería de gran utilidad y motivación. De manera que cuando ponga cara de que le habla la Virgen, efectivamente sea porque nuestra patrona se dirigió a él. Para que sus pies descansen, se le podría dar como regalo de Navidad un par de pantuflas de peluche en forma de bota, así no las extrañará y seguirá siendo *Mr. Boots*. ¿Por qué no regalarle un nuevo par fabricado en piel de tepocata? Éste sería distinto, ya que llevaría un tacón en el interior que lo hiciera parecer todavía más alto. Puesto que seguramente cuenta con una extensísima colección de botas, recomendamos para aquellas personas que verdaderamente se encuentran en estos momentos pasando una situación económica muy difícil regalarle al presidente un jabón de calabaza para limpiarlas y dos bolsas de franela verde para guardarlas. Para los más pudientes, su regalo podría ser un par de hormas de madera de fresno, la cual es muy resistente.

En la librería Gandhi venden un sinnúmero de pósters. Entre ellos, hemos visto al famoso Jesucristo de Salvador Dalí. La obra es tan espléndida que estamos seguros que hasta Fox mandaría a enmarcarla por su cuenta, apreciando su sensibilidad, pero sobre todo su religiosidad. ¿Es usted aficionado a las manualidades? ¿Por qué, entonces, no aprovechar la ocasión y fabricar un Cristo en migajón o en papel maché? Asimismo, recomendamos obsequiarlo con una hebilla para su cinturón grabada con el diseño de este sexenio del águila y la bandera, que en opinión de muchos representa una F. Para las personas que gustan dar regalos más personales, sugerimos compren zorritos de peluche. Si desea que su obsequio sea todavía más personal, podría usted elaborar la letra de una canción inspirada en su persona, cuya forma sea en rima. Por ejemplo: «Vicente es bien decente. Y además es rebuena gente. Dicen que es de muy buen diente. Antes de tomar cualquier decisión, Vicente utiliza mucho la mente, la cual pone en práctica inmediatamente. Vicente es muy valiente porque siempre dice lo que siente. También de los problemas del país es muy consciente, por eso siempre parece como impaciente. Ah, qué Vicente, siempre tan ocurrente».

«¿Qué le podría regalar a ella?», tal vez se pregunten los amigos de Marta Sahagún o las personas que buscan aproximarse a la primera dama. Mascadas, las de Hermés. Aunque hay que tener cierta precaución ya que a últimas fechas las tiene todi-tas. Sabemos que la señora Sahagún tiene unas pestañotas que suele «enrimelar» con entusiasmo. De ahí que sugerimos dos cremas desmaquillantes de ojos, como por ejemplo la de Orlane, la cual, a la vez que quita el maquillaje, hidrata. Si está usted en las últimas, regálele tres botellas de aceite Baby Johnson. También cumple, satisfactoriamente, con la misma función. Siempre y cuando sean de buen gusto y clásicos, también recomendamos regalarle un par de zapatos de tacón muy, muy, muy, muy alto, como los que tiene Salvatore Ferragamo en su colección otoño-invierno 2004. «Pero, ¿cómo averiguar de qué número calza?», quizá se pregunte. Esto no tiene importancia. Basta con que le envíe cualquier talla que no sea muy grande, para que ella, en su oportunidad, pueda cambiarlos.

Asimismo y continuando con la obsesión moderna de medir el tiempo, podría usted comprarle un despertador en cuyo centro se leyera la palabra Fox. Si desea regalarle libros o discos a la señora Marta Sahagún, he aquí algunas ideas: *Las mujeres son de Venus y los hombres son de Marte*; *Novia que te vea*, de mi amiga Rosita Nissan; *El segundo sexo*, de Simone de Beauvoir; *La tercera mujer*, de Gilles Lipovetsky; y La Biblia, en cualquier versión. Como discos, aconsejamos: Todos los boleros de Carmela y Rafael; *La Pasión según San Mateo* ¿, de J. S. Bach; los primeros *covers* de Angélica María y cualquiera de Luis Miguel. Por último, tanto para él como para ella, les queremos sugerir como regalo una suscripción para los seis años al periódico *Reforma* y la urgente adquisición de la *Enciclopedia Milenios de México*, de Humberto Musacchio.

Siento que de algo sirvieron mis consejos a quienes pensaban regalarle algo a Martita y al presidente, porque sin duda el amor siguió habitando y creciendo en el cruce de Constituyentes y Parque Lira. Los rumores sobre su relación eran cada vez más frecuentes y todo el mundo daba por hecho que se formalizaría. En ese momento, si bien era yo partidaria de que se manifestara la cosa, algunos sentimientos encontrados empezaron a surgir en mi sensibilidad, siempre proclive a la solidaridad femenina. Un día, estaba a punto de entrar a mi casa, después de un viaje de más de 11 horas, cuando desde la puerta de la calle escuché sonar el teléfono. Como pude, cerré el portón. Saludé a Rigo y a Olga, que no dejaban de ladrar y brincotearme por todos lados. Solté las maletas. Corrí hacia la cocina. Pisé la cola gris y súper esponjada de Nachito. Me tropecé con un cable. Me pegué en la cabeza con la tapa de la alacena. Y, finalmente, contesté. Era ¡¡¡Sofía!!!

Ay, qué bueno que ya regresaste, porque desde que te fuiste a Madrid han pasado un chorro de cosas. Seguramente ya te enteraste. ¿Cóóómo que de qué? Pues de lo que todo el mundo está hablando. ¿A poco no se publicó en la prensa española? ¡¡¡Ay, qué raro!!! ¿Quién crees que se casa? ¡¡¡Vicente Fox!!! ¡¡¡Te lo juro!!! ¿Cóóóómo que con quién? ¡¡¡Claro que con Marta Sahagún!!! No, todavía no es oficial, pero existen los rumores. Y ya sabes que cuando el río suena, agua lleva. Así va el dicho, ¿no? Bueno, pues el caso es que desde que me enteré, el asunto no ha dejado de darme vueltas en la cabeza. Como sabes, yo era de las que pensaba que para que Fox pudiera llegar a la Presidencia se tenía que casar a chaleco, tomando en cuenta la mentalidad mexicana muy proclive a privilegiar a la familia. Pero ahora que ganó solito, ya no soy de esa opinión. Al contrario, creo que el hecho de que esté solo le da a su personalidad un encanto muy especial. Sobre todo ante los ojos de sus electoras, las cuales, probablemente, hasta fantaseen con él. Tal vez muchas de ellas hasta se sueñan como posible primera dama. Otras, de seguro, se emocionan cuando leen que el ahora electo presidente es «una persona demasiado solitaria, pero muy sensible con los niños».

No faltarán algunas que lo compadezcan porque sus relaciones de pareja nunca han sido fáciles, pero que sin embargo tuvo el valor de adoptar a cuatro hijos. De ahí que piense que si Fox se casa, se le quitaría todo ese misterio. ¿Me entiendes? Es como si, de pronto, Marcos se quitara su pasamontañas, en ese momento dejaría de ser «nuestro Sub», para convertirse en Rafael Guillén a secas. Ya no sería aquel personaje romántico, cuyos primeros comunicados, enviados desde las profundidades de la Selva Lacandona, nos hacían soñar, sino que lo veríamos como a un simple guerrillero medio narizón. Lo mismo sucedería con Vicente Fox. No, no puedo imaginar sus manotas tan varoniles con una argolla convencional. Igualmente, me niego a imaginarlo como al típico recién casado. Además, algo me dice que no sería un buen marido. Lo imagino demasiado autoritario, muy machote, intransigente, controlador y celoso. No te olvides que él es muy egocentrista y que ya está convencido de su trascendencia histórica. A mí ella me cae muy bien, por eso no me gustaría que se casara con Fox. Lo que me gustaría es que siguiera trabajando para después convertirse en la primera candidata a la Presidencia por el PAN.

Cuando me despedí de mi amiga tan parlanchina, sentí todo el cansancio del viaje encima. Me fui a acostar, no sin antes decirme que tenía razón. Sin embargo, el martes por la noche soñé con Marta y Vicente ante el altar. Ella estaba vestida de novia y él llevaba un frac con botas de charol. Sofía y yo éramos las damas de lazo en esta boda del siglo.

Poco tiempo habría de pasar para que todo cobrara forma y se diera el suceso por todos esperado y por demás anticipado: «Ante la ley y ante la sociedad, los declaro unidos en legítima unión», les dijo el juez a los novios. Ella se veía tan dichosa que parecía que se iba a deshacer de tanta felicidad. Sus ojos vestidos por centenas de largas pestañas brillaban como dos soles. Él se veía nervioso y tenso. Por momentos, parecía como autómata. Como si el que se encontraba allí no hubiera sido él, sino otra persona. Un novio cuyas grandes espaldas parecían cargar una tonelada de responsabilidades pasadas, presentes y futuras. En cambio, a ella se le advertía sumida en un estado de verdadera euforia. Se hubiera dicho que en esos momentos se concretaba un sueño soñado desde hace mucho tiempo. Se hubiera dicho que en esos momentos la mano de un ángel le retiraba una estocada que tenía en el corazón, por todas las críticas que había recibido y que, a pesar de su fortaleza interna, la mortificaban. Su rostro nunca dejó de sonreír. Tanta beatitud expresaba agradecimiento.

Agradecimiento con la vida, con su destino, con la Providencia, pero especialmente con el novio. «A él he entregado todo… la vida misma», declaró a un diario capitalino justo la víspera de su boda civil. ¿Se podría decir, entonces, que la flamante esposa se trata de una mujer que ama demasiado? Se podría. Pero también se podría asegurar que, en su caso, triunfó el amor. Por eso, los mexicanos no podemos, ni debemos, dejar de felicitarnos por esta unión. El pueblo de México, que acostumbra ver las noticias en la tele, dormía por fin con la certidumbre de un año de democracia.

Parece fácil afirmar que el PRI ya no está. Y sin embargo, lo padecimos por más de 70 años. ¡Cuántos de nosotros no pensábamos que resultaría casi casi imposible sacarlos de Los Pinos! Pero ya no están. Ya se fueron. Más bien, les dijimos adiós. Fuimos nosotros los ciudadanos los que decidimos que se fueran porque ya no queríamos que se quedaran. De ahí que piense que el 2 de julio sea una fecha me-mo-ra-ble. Una fecha que al sólo evocarla nos estimula. Una fecha que nos hizo cambiar de actitud. Una actitud frente a nuestro país mucho más constructiva.

Independientemente de los grandes obstáculos que todavía vemos frente a nosotros; independientemente de que hay veces en que nos sentimos un poco desencantados con los errores del nuevo gobierno; independientemente de nuestra impaciencia por ver que no se resuelve el conflicto en Chiapas; independientemente de que no nos acaba de convencer el estilo de gobernar de Vicente Fox; el solo hecho de encontrarnos en plena transición nos anima a pagar nuestros impuestos, nuestro predial; pero lo más importante es que sí nos sentimos responsables de lo que le sucedió a nuestro país. Nunca como entonces, teníamos ganas de con-tri-buir. Contribuir con los cambios. Contribuir con el objeto de que pudieramos vivir en un país más justo y más libre.

He ahí, a mi manera de ver, el cambio más importante que se logró gracias al 2 de julio. Nos tenemos que congratular, a pesar de que no faltará el amargado y el aguafiestas que piense que se trata de puras cursilerías y de temas como de telenovela la llegada de la primera dama. En muchos sentidos será como un ejemplo. No hay duda que con su matrimonio nos confirma que las mujeres podemos triunfar tanto en el terreno personal, como en el profesional. Con este matrimonio, ahora podemos decirnos, si Marta Sahagún creyó en Vicente Fox y además le cumplió, también nosotros podríamos creer en él. Diremos, finalmente, que sí es un hombre de palabra. Diremos que sí es un hombre responsable. ¿Por qué? Porque, afortunadamente, el presidente de la República terminó ¡¡¡pro-nun-cián-dose!!! ¡¡¡Qué viva México y qué vivan los novios!!!

Si a mí me dio mucho gusto en aquel momento, hubo quienes rápidamente empezaron a comentar y a analizar más allá de la ceremonia y de lo que significaba en sí misma y de manera estricta. Ya sabríamos luego, hoy, hoy, hoy, que el temblor apenas comenzaba. Lo cierto es que desde que ambos pronunciaran el «sí, acepto», parece que todos los mexicanos y mexicanas tuvimos que aceptar también una serie de transformaciones bastante espectaculares que empezaron a ocurrir casi instantáneamente. Es más, por ese entonces, recibí una carta que me llamó poderosamente la atención, la transcribo porque forma parte del proceso de integración de nuestra pareja imperial.

Lupita:

En mi reciente visita a España, he percibido que la imagen que está dando la pareja presidencial no es la que más le conviene a México. La señora Sahagún le ha dado, sin duda, un gran apoyo a Fox en su campaña, pero una vez ganada la Presidencia está pasando la cuenta, con fines de protagonismo personal, y por lo visto él está de acuerdo en concederle todos sus deseos. De esta forma, la Presidencia de la República, esa institución tan importante, y cuyos errores han tenido en el pasado un costo enorme para millones de mexicanos, está siendo usada ahora para el lucimiento de ambos, descuidando las altas prioridades del país y sus compromisos de campaña. Prueba de esto es la campaña personal que la señora Fox está llevando a cabo, con actos tan torpes como lanzar el ramo de novia en el avión, como la inserción —obviamente pagada con nuestros impuestos— en el *Hola*, la revista oficial de la burguesía española. ¡Ya basta! Hay que ponerle un alto al señor Fox y recordarle para qué lo elegimos. Desde luego que no para hacer giras sin ton ni son, como la que realiza ahora, ni para ofrecer un foro de lucimiento a su señora. Espero te sirvan estas notas… Gracias.

Así decía la carta firmada por un lector anónimo.

La misiva estaba sujetada por medio de un clip a la revista *Hola*, número 2 984 con fecha del 18 de octubre de 2001. Era evidente que el contenido de la nota anterior no hizo más que despertar mi curiosidad al grado que empecé a hojear el semanario con absoluta fruición. En esta ocasión la mala costumbre de hacerlo de atrás para adelante resultó inútil, la nota a que se refería el incógnito lector finalmente apareció en la página 6, es decir, es el primer reportaje de 38 que contenía la publicación. Sí, allí estaba mi pareja predilecta. Allí estaban los enamorados, de la mano, felices de la vida, en tanto caminaban por los jardines de la residencia presidencial de Los Pinos. Ella, vestida de color palo de rosa y él, de azul marino. En seguida, venía una foto impactante, histórica, pero sobre todo, muy significativa. En medio de ocho fotografías, muchas del día de su boda y a todo color, ¿quién creen que aparecía bien derechita mirando fijamente el lente de la cámara y con una actitud de una verdadera señora presidenta? Claro, ¡la señora Fox! ¡Con qué aplomo, con qué seguridad y con qué determinación posa la primera dama, las diez yemas de sus dedos sobre la gran mesa de trabajo! He allí una faceta de su personalidad que cada día se consolida más, y que nos muestra a una mujer dispuesta a todo, con tal de sacar al país adelante. Tal vez sea precisamente este aspecto el que ahora le reprochamos: que en todos estos años sólo ha sido protagonista de las revistas del corazón y de escándalo, sólo eso.

Curiosamente en las fotografías subsiguientes tenía un cambio total de personalidad. En ellas Martita aparecía como cualquier señora de su casa (casotota) hojeando un libro de arte. En la otra, la señora Fox estaba disfrutando de una taza de té ante los espléndidos jardines de Los Pinos. Todavía más natural y hogareña, está en las páginas finales. En la foto superior se le veía frente a un estanque mientras contemplaba los peces de colores, allí nos encontramos con una mujer serena, romántica y muy agradecida con la Providencia. En la de la derecha, tenía otro *look*, lleva una pashmina color *peach* con una actitud casual y formal a la vez. El tono del *lipstick* de sus labios combinaba perfectamente con el de sus zapatos de tacón alto. En la foto a la izquierda, aparecía Martita con su esposo. Lo miraba con admiración, con agradecimiento, con coquetería y también con complicidad. Y las últimas fotos eran de nuevo Martita y Vicente de la mano; otra vez Martita firmando papeles con su pluma Mont Blanc y Martita, nuevamente, con unos ojotes brillantes, pestañudos y vestida con un traje, de saco y vestido, pre-cio-so color azul clarito.

No, no hay duda, en seguida se advierte que el reportaje exclusivo, con diez fotografías, incluyendo una entrevista larga con la primera dama, se hizo con esmero, con gran profesionalismo, con ganas, con cuidado, con respeto, y seguramente también con mucho dinero, ya que las fotografías son de una espléndida calidad, así como el formato y los pequeños recuadros con las debidas explicaciones. Asimismo, llama mucho la atención el enorme listado de calificativos sumamente elogiosos que las dos reporteras, Gaetana Enders y Maru Ruiz de Icaza, le atribuyen a Martita. He aquí algunos de ellos: «mujer joven, menuda y ojos expresivos; pieza fundamental en la organización de la comunicación de la campaña; [apoya a su marido] con la misma entrega e intensidad; fuerte personalidad; deseo enérgico de participar; mujer inquieta y trabajadora; empresaria al ocupar el segundo lugar en ventas de medicina veterinaria en el estado de

Guanajuato; amable, ágil conversadora y dueña de un estilo muy personal; dinamismo y fuerza interna», etcétera.

Asimismo en el texto (excepcionalmente bien escrito, ya que este semanario suele no ponerle atención al contenido sino más bien a las fotografías) se resalta el currículum de la señora Fox. Después de hacer hincapié en su carrera política al haber ocupado cargos como: consejera nacional y estatal; secretaria de Promoción Política de la Mujer en el estado de Guanajuato; coordinadora del Comité Ciudadano de Protección Ambiental y candidata a la presidencia municipal de la Ciudad de Celaya; se aclara que la señora Fox fue graduada como maestra de inglés en la Universidad de Cambridge, en Dublín, Irlanda; profesora universitaria de La Salle Benavente de Celaya y conferenciante en la Universidad de Celaya y en la Konrad Adenauer Foundation.

¿Para qué tantos datos, cargos y nombramientos?, me pregunté. ¿Para qué tantas fotografías y tomas distintas? ¿Para qué tanto protagonismo? ¿Por qué quiere reafirmarse tanto? ¿Qué busca? ¿Qué pretende? ¿A quién quiere impresionar la señora de Fox? ¿A sus futuros electores? ¿Cómo es posible que se le ocurra a Marta Sahagún aventar su ramo de novia durante un trayecto de avión en un viaje oficial, mientras del otro lado del mundo se estaban aventando bombas? ¿No se habrá dado cuenta que no era el momento ni de aparecer en revistas como *Hola* de la manita (manota) con su marido, ni de organizar conciertos con Elton John en el Castillo de Chapultepec, cuyo boleto costó 10 mil pesos, ni mucho menos hacerse tanta publicidad cuando todavía no sabemos ni cuántos muertos mexicanos se encontraron bajo los derrumbes de las Torres Gemelas?

No, no es casual que la entrevista de la primera dama haya sido publicada en un semanario como *Hola*, cuyo tiraje representa miles y miles de ejemplares que viajan por toda Latinoamérica. No, no es casual que la señora Fox insista, desde entonces y hasta el día de hoy, en promover tanto su persona enumerando todos sus logros bajo el pretexto de que todo lo hace por amor a Vicente y a México. No, no son casuales tantas casualidades.

Sí, sí me dio mucho gusto que Vicente Fox y Martita se casaran. También confieso que varias veces defendí a Martita cuando algunas personas me decían que se trataba de una mujer demasiado enamorada del poder. Ahora y después de ese reportaje, sí creo lo que me dijo en una ocasión Sofía: «Marta Sahagún quiere ser la próxima Evita Perón». Como bien dijo mi lector anónimo: ¡Ya basta, Martita!

Ante tal atolondramiento de imágenes de la pareja imperial me resolví a salir de vacaciones. No hay duda que tomar vacaciones es un ejercicio que no nada más tiene que ver con la salud física, sino con la mental. Para irse de vacaciones no necesariamente se requiere de mucho dinero. Lo importante es contar con la voluntad de irse, de tomarse un descanso, de cerrar la cortina, de hacer un paréntesis y de romper con la cotidianidad. Se pueden tener vacaciones sin necesidad de salir de la ciudad. Basta con tomar cualquier tipo de vehículo y dirigirse, por ejemplo, al Centro Histórico, a Tlalpan, a Xochimilco, a la colonia Condesa, al panteón de San Fernando, al Museo de Antropología, al pueblo de Tacuba, a cualquier sucursal de la dulcería Celaya, al barrio Chino (calle de López) o a la galería de arte que se encuentra en el aeropuerto Benito Juárez. Por la tarde, tardecito, se puede ir a comer churros a El Moro (Eje Lázaro Cárdenas) o una tostada especial en el café Tacuba, o simplemente unos molletes de frijoles al Sanborns de Madero. Hay tantas cosas que hacer en la Ciudad de México. Con un poquito de imaginación se pueden inventar recorridos y paseos sumamente atractivos y enriquecedores. Hasta un *pic nic* se puede organizar en la azotea de su casa.

Lo imprescindible es la actitud con la que se dispone para tomar vacaciones. En primer lugar hay que manifestar entusiasmo, buena voluntad, ganas de dar y darse gusto. Entusiasmo, entre muchas otras cosas, significa una alegría que impulsa a la acción. Igualmente quiere decir estar poseído por un Dios, sentirse elevado por una fuerza que le sobrepasa. Hay que olvidarse de los problemas, presiones, pendientes, deudas, resentimientos, complejos, amarguras y tristezas. Y dejar la televisión atrás, como si fuera un diablo. ¿Por qué no mejor leer un libro, rentar una buena película o simplemente escribir una carta a esa prima que vive, tal vez, en San Luis Potosí y que hace mucho no tiene noticias suyas?

A propósito de cartas, recibí en medio de estas vacaciones una cuyo contenido me llamó particularmente la atención. Se refería a un texto mío, «El Beso», en donde opiné a propósito de lo que me había parecido una descortesía por parte de Su Santidad hacia la señora Fox, al no haberla mencionado en dos ocasiones en que agradecía la invitación del presidente de la República. Dado el enfoque tan original de la misiva, no tengo otro remedio que dejarla al lector en transcripción íntegra. Estoy segura que en medio del contexto de vacaciones, tiempo libre o escapada del imperio de la tele tendrán más tiempo para reflexionar sobre el particular.

Estimada señora Loaeza:

Permítame decirle que esta vez no estoy para nada de acuerdo con usted en su comentario sobre Marta y la supuesta descortesía que le hizo el Papa al no mencionar su nombre en el discurso del aeropuerto. ¿No cree que la grosera fue ella al haber expuesto al Papa a parecer descortés, cuando en realidad no era su lugar en el estrado junto a él, exponiéndose innecesariamente como se expuso? ¿Qué no sabía, la señora Marta, que este viaje fue de carácter pastoral, magisterial, apostólico, o como le quiera llamar, ya que el motivo principal de su venida fue la canonización de San Juan Diego? Lo correcto, de acuerdo al protocolo oficial, era que apareciera el Papa junto a su anfitrión Norberto Rivera, y en todo caso también junto al presidente por ser jefe de nuestra nación. ¿Acaso no fue suficientemente claro el mensaje que le dieron a Martita en el Vaticano, cuando el Papa no accedió a recibirla junto al presidente Vicente Fox, por más que lo intentó, ya que el máximo representante de la jerarquía no puede dar reconocimiento público a una pareja de católicos que no estén casados por la Iglesia? ¿No le parece demasiada necedad, imposición, capricho, terquedad, berrinche, afán de *show off* de parte de la señora Marta, el no aceptar las reglas de la Iglesia, ella que se dice tan católica? Se debería de haber ahorrado tantos besos y reverencias que, en franca ostentación, le vimos hacer al saludar a los señores obispos y cardenales, para demostrar, hasta por educación, más respeto a la disposiciones establecidas, que no son para ella en exclusiva, sino para todos los católicos. Me imagino que usted, con su experiencia, estará de acuerdo, que si Juan Pablo II ha tenido que seguir estas disposiciones con otros jefes de Estado, como Berlusconi, o el presidente de Portugal, Marta Sahagún y Vicente Fox no pueden ser la excepción. ¿Será acaso que no hubo nadie que le dijera cuál era su lugar, o peor aún, que habiéndoselo dicho los haya mandado olímpicamente a volar? Atentamente. Carolina Betancourt.

Gracias, Carolina, estoy contigo. Mis vacaciones fueron por esta carta las mejores de la temporada...

El tiempo pasa y cuando la pareja imperial cumplió un año de casados me puse a pensar en qué significaría tan enorme capítulo en la vida de Martita. ¿Cómo no lo tendría si ese día se había cumplido el sueño de su vida? Es decir, casarse con el hombre que ama, que admira, y que, por añadidura, fue su jefe y ahora es el presidente de la República. El mismo que conoció hace muchos años y con el que colaboró muy estrechamente cuando era gobernador de Guanajuato. El mismo que apoyó con toda su cabeza y su corazón cuando se lanzó como candidato a la Presidencia por el PAN. El mismo que la designó como vocera de la Presidencia. Y el mismo que pasó a la historia por haber sacado a los priistas de Los Pinos, que no del país.

Sin duda ese 2 de julio tuvo un significado sumamente especial para Martita. ¿Cómo no lo tendría si ese día se cumplió el sueño de su vida? Es decir, llegar a ser la primera dama más influyente de la historia de México, la presidenta honoraria del Consejo Nacional para la Infancia y la Adolescencia, la presidenta honoraria de la Cruz Roja Mexicana y la presidenta de su fundación, Vamos México. Además, como esposa de Vicente Fox, ese mismo día dejó de ser «una habitante más de Los Pinos...», como confesara durante un simposio en la Universidad Panamericana.

Sin duda ese 2 de julio tuvo un significado sumamente especial para Martita. ¿Cómo no lo tendría si ese día se cumplió el sueño de su vida? Es decir, gracias a esa fecha, ahora más que nunca sabe que es factor de cambio y realización para un proyecto. Ahora más que nunca sabe que debe estar más informada e involucrada. Ahora más que nunca opina y se ocupa. Ahora más que nunca disfruta y admira al presidente de la República. «Sí me involucro, sí comparto, sí opino, sí me preocupo y sí me ocupo; además, me encanta, lo disfruto mucho, admiro mucho al presidente», expresó, sin olvidarse de ponerle el acento en la «i» de los cinco «sí» ante decenas de jóvenes de la universidad arriba mencionada, la cual como todo el mundo sabe pertenece al Opus Dei. De allí que hubiera tenido mucho cuidado en no incurrir en mentirillas. ¡Qué mejor ámbito para hablar con la verdad!

Todo lo anterior nos hace llegar a la conclusión de que la ciudadana mexicana más encantada, más entusiasta, más realizada, más enamorada, más satisfecha, más colmada, más optimista, más estimulada, más esperanzada, más receptiva, más sincera y más agradecida respecto al gobierno de Fox, sea, precisamente, su esposa Martita. Lo preocupante no es que Martita sea la primera dama más influyente, sino que, al mismo tiempo, se trate de la funcionaria más poderosa del gabinete de Fox. De todas y todos, es la única que sí tiene un proyecto tanto social como político. De todas y todos, es la única que sí está haciendo relaciones públicas en el mundo de la política, empresarial y medios de comunicación. De todas y todos, es la única que sí sabe lo que quiere, supuestamente para México, pero sobre todo en relación con su futuro. De todas y todos, es la única que está segura que no perderá su puesto. De todas y todos, es la única a la que el presidente deja en total libertad, es decir, se puede reunir y dialogar con quien se le dé la gana. De todas y todos, es la única a quien realmente escucha Vicente Fox. De todas y todos, es la única que con toda autonomía puede llevar a cabo proyectos personales en los ámbitos que ella quiera. Y de todas y todos, es la única que consigue fondos para su proyecto personal, el cual consiste en apoyar a los grupos más marginados del país, tal vez sin tener que pagar impuestos.

Sé que no estoy afirmando nada nuevo. Sé que para muchos analistas las intenciones políticas de Martita son bien claras, aún a pesar de que haya declinado su pseudo candidatura por la presidencia para el 2006, lo cual ya veremos. Lo sé porque me lo han comentado tanto colegas, como funcionarios panistas. Siempre que coinciden con la primera dama en un acto oficial o que de alguna manera han tenido algún contacto con ella, coinciden en decirme lo mismo: «La que está gruesa es Martita. Sinceramente, me impresionó su discurso. No sabes con qué seguridad lo leyó. Híjole, a diferencia de Fox, ella sí sabe lo que quiere. Es obvio que se está preparando para algo muy importante. También es obvio que su heroína, aparte de Santa Teresita, es Eva Perón. A esta mujer no la para nadie. ¡Es listísima!» Mientras Fox queda relegado en un segundo plano, ahora Martota, que no Foximiliano, se ha apoderado del Castillo de Chapultepec, de Los Pinos, de la atención pública. La corona ya la tiene bien puesta. Habrá que esperar que no le pase lo que a María Antonieta y que la guillotina política le trunque sus largas ideas.

Entre otros de mis temores también está el que el presidente de la República deje por completo de hacer pifias. Hay que decir, que gracias a muchas de ellas el «círculo verde» ha aprendido, probablemente, muchas cosas. Quiero pensar que muchos de estas ciudadanas y estos ciudadanos, tal vez, escucharon hablar por primera vez de Jorge Luis Borges, de Kafka y de los otros autores que se acumulen durante los siguientes años. Quiero pensar que algunos de ellos, los más distraídos, no sabían, por ejemplo, que Checoslovaquia hace unos años se dividió en República Checa y en Eslovaquia, y por lo tanto, al nombrarla hay que decir República Checa. Quiero pensar que al señalarle la prensa tantos errores a Vicente Fox, es una manera de invitar a la lectora y al lector común y corriente a reflexionar sobre ciertos temas que acaso nunca había considerado. Ahora las futuras casaderas saben que resulta sumamente cursi arrojar los ramos de novia, especialmente, durante un vuelo de avión.

Debido al pesado *look* de Martita, muchas mujeres saben que no hay que maquillarse excesivamente los ojos porque, definitivamente, ya no se usa. Saben que si son novias por segunda vez, no se deben llevar medias oscuras con zapatos blancos, porque resulta demasiado contrastante. Saben que no deben de invertir demasiado dinero en toallas y que lo mejor es comprar las del país. Gracias al artículo de Nicolás Sánchez Osorio (*Reforma*, 25/10/01) a propósito de los errores en que incurrió Vicente Fox cuando se vistió de etiqueta para asistir a una recepción oficial en España, seguramente, a partir de ahora habrá muchos secretarios de Estado pondrán mucha más atención la próxima vez que vistan de *smoking*. En suma, estos últimos meses hemos aprendido muchas cosas gracias a Vicente y a Martita Fox. Pero volvamos a la sarta de babosadas que quiero escribirles, pero que ya no puedo. No puedo porque temo que con ellas pueda ofender e irritar aún más a nuestro primer mandatario. Pero, ¿cómo el presidente anunció que dejaría de leer los periódicos? Entonces, ¿sí puedo? ¿De veras? ¡Ay, qué maravilla! ¡Enhorabuena para mí y para todos mis colegas! Con esto no quiero decir que ellos también escriben babosadas, lo que pretendo es invitarlos a que lo sigamos criticando. ¿Qué harían nuestras lectoras y nuestros lectores sin nuestras críticas? Tal vez pensarían que somos todas y todos muy lambiscones, barberos y grillos. Imagínense el siguiente contenido de un texto de cualquier diario mexicano:

Un presidente incomparable

El sábado pasado tuve el privilegio, por primera vez, de escuchar el espléndido programa radiofónico *Fox en vivo. Fox contigo*. ¡Me encantó! Me gustó por llano y directo. Me gustó por humano y sencillo. Me gustó por profundo y por *light* a la vez. No hay duda que el señor Presidente es un comunicólogo natural e ¡¡¡in-com-pa-ra-ble!!! ¡Qué diferencia con los presidentes que hemos padecido en tiempos pasados! ¡Qué abismo existe entre los anteriores gobiernos corruptos y turbios con el de ahora! De ahí que esté totalmente en contra de aquellos periodistas y dizque politólogos amargados que osan criticar a nuestro primer mandatario por tonterías, por cosas que no valen la pena. ¿No será que estos resentidos están muy enojados porque ya no reciben su sobrecito? ¿No será que extrañan demasiado las prevendas que solían recibir de los priistas? En otras palabras, ¿no será que en realidad se trata de observadores *losers* (perdedores) que no soportan a los *winners* (triunfadores), como es el caso de nuestro señor Presidente?

No contentos con las críticas estériles y superficiales, a las que últimamente se ha sometido Vicente Fox, esta misma rapiña también osa criticar a la señora Marta Sahagún de Fox. Una mujer valiente, decidida, empeñosa, con un trato estupendo, bilingüe, preparada, educada con los principios de la mujer mexicana y que, por añadidura, se preocupa por los que menos tienen. ¿Cuándo habíamos soñado con una primera dama así? ¿Qué le reprochan? ¿Su protagonismo? ¿El que quiera ser la líder de las primeras damas de toda América Latina? O bien, ¿el que sea un ejemplo genuino de muchas mexicanas deseosas de romper cadenas?

No, no se deje engañar por esas plumas que antes acostumbraban escribir con la seguridad de tener su cheque en el bolsillo. Más que leer los diarios amarillistas, deberíamos de apoyar, aunque sea con un granito de arena, a nuestro presidente. ¡Dejémoslo trabajar! Y de paso, construyamos junto con él un México más justo y más libre.

¿Les gustaría leer este tipo de análisis? ¿Me creerían? ¿Estarían de acuerdo conmigo? ¿Qué tipo de babosadas prefieren, las de las líneas arriba o de las que se queja Vicente Fox? Esto es motivo para que me sienta un poco desanimada. ¿Ser o no ser babosa? No están ustedes para saberlo, ni yo para decírselos, pero llevo casi 20 años (¡¡¡dos décadas!!!) escribiendo con el mismo estilo, y ahora presiento que no son más que ¡¡¡babosadas!!! ¿Cómo decirle al señor Presidente que lo único que hago es transcribir lo que él mismo dice? ¿Cómo decirle que lo único que hago es describir a su esposa cada vez que sale en alguna publicación, es decir, dos veces por semana? ¿Cómo hacerle entender que lo único que hago es contar lo que veo y escucho a mi derredor? ¿Cómo explicarle que siempre he escrito a propósito de las estupideces que han cometido y siguen cometiendo algunos priistas, panistas y hasta perredistas? ¿Acaso no fue gracias a los 70 años de críticas que solían escribir periodistas de la oposición que logramos que ahora sea Vicente Fox el que gobierne México? ¿Se imaginan quién nos estaría gobernando actualmente sin las críticas que se dieron en la buena época del *unomásuno*; de los colaboradores actuales de *La Jornada*, como Luis Javier Garrido, de la revista *Proceso*, de las caricaturas de Abel Quezada, de Naranjo, de Helio Flores, de Calderón, de El Fisgón, de las memorables crónicas de Carlos Monsiváis y Elena Poniatowska, de los análisis de Lorenzo Meyer, Silva-Herzog

Márquez, René Delgado, Denise Dresser y otros muchos más que escriben en nuestro periódico?

Tengo entendido que Luis Echeverría pedía todas las mañanas que le narraran los últimos chistes que se contaban entonces de su persona. El que también coleccionaba las caricaturas que inspiraba era Fidel Velázquez. Llegó a juntar ¡miles! En Francia se publica un periódico que ha hecho historia en el periodismo de ese país, *Le canard enchaîné*. No hay semana en que no aparezcan las críticas más implacables contra el presidente y el gobierno en turno. Recuerdo que en la época de la presidencia de François Mitterrand empezó a tener mucho éxito el programa *Bebette Show*, títeres representando a todos los funcionarios, el cual salía tanto en la televisión como en el radio. Había uno que representaba a la primera ministra Edith Cresson vestida de leopardo, que siempre aparecía coqueteándole al presidente, porque decían que habían sido amantes. En Inglaterra los diarios de mayor circulación son aquellos que más critican a la familia real y a los políticos ingleses.

Por último y para no sentirme tan sola e incomprendida en este mundo, ¿qué les parece si fundo el Club de las Babosas y de los Babosos? ¿Le gustaría ser miembra o miembro? ¡Juro que pasaríamos horas y horas entreteniéndonos con babosadas que tengan que ver con la Pareja Imperial! Si está usted interesado sólo hay un requisito: leer la sarta de babosadas que todos y todas los que criticamos a Martota y Foximiliano publicamos en el país. Ya sé que será un vasto y arduo trabajo, pero la remuneración será horas y horas de carcajadas batientes y agudo pensamiento político.

El país de las maravillas

Hace ciento treinta años, después de visitar el país de las maravillas, Alicia se metió en un espejo para descubrir el mundo al revés. Si Alicia renaciera en nuestros días, no necesitaría atravesar ningún espejo: le bastaría con asomarse a la ventana. Al fin del milenio, el mundo al revés está a la vista: es el mundo tal cual es, con la izquierda en la derecha, el ombligo en la espalda y la cabeza en los pies.

EDUARDO GALEANO

¿Qué soñará Vicente Fox por las noches? Algo me dice que sueña frecuentemente con el país de las maravillas. Pero no con México, sino con el país de la pequeña Alicia de Lewis Carroll. Como a ella, a Fox no le parece nada extraño ver en su sueño (siempre que sueña lleva sus botas puestas) al conejo blanco, con la cara de Diego Fernández de Cevallos. Lo escucha decirse a sí mismo, con su puro en la boca: «¡Dios mío! ¡Dios mío! ¡Voy a llegar tarde al Senado!». Cuando el conejo Diego se saca su reloj de bolsillo del chaleco, lo mira y se echa a correr. Fox corre en su sueño tras el conejo por la pradera y llega justo a tiempo para ver cómo se precipita en una madriguera que se abre al pie del seto. De pronto el presidente se ve mirando hacia abajo de un pozo en el que aparecen estantes y armarios de libros; más allá ve colgados mapas de la República mexicana y láminas. De

59

pronto toma un frasco de uno de los armarios. Tiene una etiqueta que dice: Reforma fiscal, Presupuesto 2004 y Reforma eléctrica. Para gran desilusión suya, está vacío, completamente vacío. No tira el frasco, lo vuelve a colocar en otro de los armarios frente al que pasa.

Y como Alicia en el cuento, Fox sigue cayendo, cayendo, cayendo. «¿Acaso no terminará nunca de caer?», escucha una vocecita que sale por algún lugar. Es la voz del pueblo. «Bueno —piensa el mandatario para sus adentros—, después de una caída como ésta no podré volver a quejarme cuando ruede escalera abajo de Los Pinos. ¡Cuán valiente me van a encontrar todos los de mi casa! ¡No diré una palabra ni siquiera si llego a caerme del propio tejado!» (cosa bastante probable).

A partir de esos momentos, en su sueño comienzan a pasar cosas todavía más extraordinarias. Cambia de tamaño cada dos minutos. De pronto se vuelve chiquito, chiquito, para que en seguida crezca grandote, grandote. Y se pregunta angustiado tal y como lo hace la niña en la historia de Carroll: «¡Cielos, qué cosas tan extrañas suceden hoy día! Sin embargo, ayer todo era igual que siempre. ¿Habré cambiado en la noche? Veamos: ¿era yo el mismo cuando me desperté esta mañana? Casi creo recordar que me sentí un poco diferente. Pero, si no soy el mismo, ¿quién soy entonces? ¡Ahí está la gran confusión! No entiendo. Esto de tener tantos tamaños diferentes en un solo día resulta bastante desconcertante. No puedo ser un presidente chiquito, tengo que verme grandote», se dice entre sueños.

Súbitamente se le aparece el gato de Cheshire con la cara de Elba Esther instalado en la copa de un árbol. El gato sonrió apenas lo vio, lo que le hizo suponer que el animalito tenía buen carácter a pesar de que mostraba unas garras muy largas y una

...Un compañedo madavillozo que compadte todaz miz iluzionez...

gran cantidad de dientes. Esto último indicaba que se le debía tratar con respeto.

—Tú también me traicionaste, Vicente —le dijo con sus ojos particularmente rasgados.

—Minina, minina… —llamó Fox tímidamente, sin estar muy seguro de si al gato le gustaría que le llamasen de este modo—, ¿podrías decirme, por favor, por qué camino debo seguir? —le pregunta el presidente con la frente perlada.

—Eso depende, en gran parte, del sitio adonde quieras ir —repuso la Minina.

—No me importa mucho donde sea… —declara Fox, con una voz muy contundente.

—Entonces no tiene importancia el camino que sigas… —contesta la Minina abriendo y cerrando sus ojos oscuros como la noche.

—… siempre que llegue a alguna parte —agrega Vicente, como para completar la explicación.

—Puedes estar seguro de eso, siempre que camines lo suficiente —declara la Minina.

—Si yo no dejo de caminar y caminar para que México siga siendo un país ¡¡¡maravilloso!!!

¿Verdad que después de estos cuatro años es ma-ra-vi-llo-so, Elba Esther? ¿Verdad que las cosas caminan, que la gente trabaja, que la gente hace inversiones, que progresamos y avanzamos sobre todo en formación de capital humano, en salud; que tenemos una economía sólida como no la habíamos tenido hace mucho tiempo; que las variables fundamentales de la economía están fuertes y que nos dan seguridad y tranquilidad; que las tasas de inflación son las más bajas de la historia; que hemos logrado reducir los índices de pobreza en el país, a pesar de la resistencia para aceptarlo por algunos grupos. Vamos bien. Apenas vamos a la mitad del camino y ya hemos logrado una barbaridad de cosas…

De repente en su sueño se aparece el conejo blanco con su puro en el hocico y le dice a Fox como regañándolo: «Calma, calma. Ya no hables tanto y tan de prisa. Recuerda que no importa lo que las palabras signifiquen, porque, en definitiva, el único problema es el de quién manda aquí». Junto a él está Humpty Dumpty y dice:

—Mira, Vicente, cuando tú usas una palabra, como por ejemplo de «maravilla», esa palabra significa exactamente lo que tú decides que signifique, ni más, ni menos. Si tú dices que México es un país de maravilla, ése es el significado, es decir, que a tu país le está yendo de maravilla.

—La cuestión es —dijo Fox— que si puedo hacer que las palabras signifiquen cosas tan distintas. No me explico por qué no me entienden si lo que vengo diciendo desde que nací (*sic*) es que tenemos un país maravilloso, tenemos una gente maravillosa, tenemos una historia y una cultura maravillosas, tenemos valores maravillosos, tenemos un país maravilloso fue la expresión textual de mi frase que dije en diciembre de 2003, pero un diario puso en encabezado «Vamos de maravilla», yo jamás dije eso. En mi país no me entienden, siempre me andan malinterpretando.

—Tranquilo, Fox, la cuestión es —dijo de pronto Humpty Dumpty, que se apareció sin su compañero— quién ha de ser el amo, eso es todo. No lo olvides. Por lo pronto sigue diciendo que todas las mexicanas y los mexicanos son todas y todos maravillosos. De tanto repetirlo van a terminar creyéndolo. Yo sé lo que te digo. Aquí en mi país es así, por eso es maravilloso.

—¡Que no le corten la cabeza! ¡Que no se la corten! —empieza a gritar la reina, poniéndose roja, roja. En realidad la Reina es Martita con sus pestañas particularmente largas y risadas. Va de un lado a otro, con su palo de criquet, que en realidad es Madrazo.

—¡Tranquila, no son nada más que un juego de naipes! —le dice Fox como para calmarla.

—Ya sé… Que mejor le corten la cabeza a Andrés Manuel —empieza a gritar furiosa la Reina Martita—. ¡¡¡Que se la corten, que se la corten en el Zócalo!!!

Todo el mundo empieza a correr en todas las direcciones, estrellándose unos contra otros. En esos momentos, curiosamente, Fox siempre suele despertarse ya no de un sueño, sino de una pesadilla terrible. Se incorpora, con dificultad abre los párpados y con toda su perplejidad reflejada en su rostro regresa, como siempre, a la cruda realidad. El entrechocar de las tazas de té se convierte en los gritos de los legisladores de la Cámara; la voz de la reina no es otra cosa que la de su gabinete que insiste en decirle que se cuide de sus enemigos; y todos los ruidos extraños que acostumbra escuchar en sus sueños se cambian (él lo sabe muy bien) por el confuso clamor de un país que lejos de vivir maravillosamente, vive en la absoluta confusión e incertidumbre desde hace unos años. En otras palabras, en el caos.

En este país de las maravillas, el ambiente se siente medio festivo, medio neurótico. Cuando hay fiesta, y sobre todo las de diciembre, nadie parece tener interés en el trabajo y mucho menos en los asuntos políticos. Así siempre nos llegan los fines de año, con una avalancha de posadas, pastorelas, brindis navideños, intercambios de regalos y demás fórmulas que nos hemos inventado para, efectivamente, sentir que vivimos en un mundo maravilloso. Un día, me encontraba buscando unas recetas de bacalao alcaparrado —nunca me ha salido bien, me queda como que muy salado— cuando algo como una brisa fresca en el rostro me impulsó a ir a la puerta de entrada. Abrí y no había nadie. Pero mis ojos se posaron en el buzón. Curiosamente, encontré un gran sobre con muchos timbres. Cuando lo tomé me llamó la atención lo frío que estaba, casi casi parecía congelado. Lo abrí de inmediato y cuál no fue mi sorpresa de encontrarme con tres sobres dirigidos a los presidentes de cada uno de los partidos, acompañados de una notita que decía: «Mi estimada señora, le envío estas tres cartas para que las transcriba en su afamada columna (siempre la leo) en el prestigioso periódico *Reforma*, el cual sigo por Internet. El contenido contesta a la petición que me hizo cada uno de ellos para esta Navidad. Al leerlas, estoy seguro que usted, mi querida señora, comprenderá por qué no puedo cumplir sus deseos. Merry Xmas, Atte. Santa. P.D.: ¿Qué pasó con su cartita?, todavía la estoy esperando».

1. Querido Roberto: habiendo tenido un comportamiento como el que tuvo durante todo el año, ¿usted cree que de verdad se merece que le lleve algo? Me pide un partido unificado; me pide más popularidad; me pide alcanzar en las encuestas a Martita y al Peje; me pide un *look* más moderno a pesar de todos los pomos de gel y de spray que me solicitó el año pasado; me pide parecer más carismático; me pide recuperar Tabasco y, por si fuera poco, me pide ser el presidente de un partido más creíble. Roberto, ¿se da cuenta de lo que me pide? Así hubiera sido usted un santo en 2003, pero para 2004 su solicitud además de exagerada es totalmente irrealizable. Parece que ya lo convenció Fox de que viven

en el País de las Maravillas. Lo más que podría hacer por usted sería proponerle que creara su propia empresa de encuestas para que cuando menos en ésas saliera siempre en primer lugar. Le llevaré un nuevo secador de pelo (con cuatro velocidades), un cepillito de pelo de puercoespín para su bigote y un álbum (imitación piel) con todas las caricaturas de la maestra Elba Esther.

¡Qué diferencia de las cartas que solía escribirme cuando era niño! Todavía conservo la de 1960, en donde me pedía que le llevara regalos a los niños más pobres de su clase. Lo que sí nunca entendí es por qué me mandó como 200 tarjetitas con su nombre para que las pusiera en los regalitos. Aún deben de estar en alguna de mis cajas. Asimismo, me pedía un suetercito como los de César Costa y un disco de Los Locos del Ritmo. ¡Cómo pasa el tiempo! Ésos sí que eran regalos accesibles para mí. En fin, este año no cuente conmigo. ¿Por qué no lo intenta con los Reyes Magos? A pesar de todo, le quiere, Santa.

2. Querido Leonel: ay, muchacho, qué vamos a hacer con usted. ¿Cómo que le lleve paz y armonía al PRD? ¡¡¡Imposible!!! ¿Cómo quiere que desaparezca yo a las tribus? ¡¡¡Imposible!!! ¿Cómo quiere que el partido sea nacional si sólo tienen votación en seis estados? ¡¡¡Imposible!!! ¿Cómo quiere que el ingeniero Cuauhtémoc Cárdenas no pretenda ser candidato a la Presidencia de 2006? ¡¡¡Imposible!!! ¿Cómo quiere que dé por muerto al Peje? ¡¡¡Imposible, más que imposible!!! Y ¿cómo quiere que lo convierta en un líder carismático? ¡¡¡Imposibilísimo!!! Leonel, sea realista. Pídame algo más facilito, como por ejemplo que Porfirio regrese al PRD, o que sea rechazado, dentro del partido, Monreal como candidato a la Presidencia. Eso todavía es más factible, pero pedirme que Pablo Gómez se discipline, que los chuchos se disciplinen,

que los amalios se disciplinen y los chayos también… ¡¡¡Imposible!!! Ay, Leonel, ¿qué vamos a hacer con esa dirigencia que acá en el Polo Norte no vemos? Mejor le voy a llevar unas buenas pilas Energizer, porque las de Ray-o-vac del año pasado no funcionaron. Han de haber estado caducas… ¡Y ni me rezongue porque no sabe lo que le va a llegar a su partido durante todo 2004!

¿Se acuerda, Leonel, de la cartita que me envió allá por los sesenta en donde me pedía un trompo (el que parece que nunca se pudo echar a la uña) y un balero (con el cual nunca pudo hacer «capiruchos»)? Recuerdo muy bien que en otra carta me pedía que le llevara mejores regalos a su noviecita que a usted. Qué buen corazón tenía usted entonces… o bien, qué codo era… ¿Sigue siéndolo? Bueno, muchacho, no me queda más que desearle buena suerte. ¿Por qué no le hace la lucha con mis amigos los Reyes, pero los Reyes Magos? Como ellos son tres y también les cuesta trabajo ponerse de acuerdo, tal vez lo entiendan mejor y le puedan satisfacer sus deseos. Salúdeme a doña Amalia García, dígale que sí le llevo su encarguito… Santa.

3. Querido Luis Felipe: antes que nada, permítame decirle cuán desconcertado me han dejado sus últimas cartitas, porque hasta antes del 2000 yo supe que usted siempre le pedía al Niño Dios. ¿Por qué ese cambio? ¿Acaso habrán influido, por fin, mis anuncios de Coca-Cola por aquello de que su jefe era gerente regional? Oiga, por cierto, ¿cómo está mi amigo Lino (Korrodi), sigue haciendo dinero?, porque eso sí, él nunca olvida pedirme su cochinito. Y como me cae tan bien, siempre le cumplo. O tal vez fue Martita quien lo convenció. Ella sí cree mucho, muchísimo en mí. Solamente este año, he recibido de la primera dama más de 25

cartas. Con el pretexto de que ayuda a la gente de Vamos México, de que tiene que estar muy bien vestidita para cumplir con los compromisos con los pobres y de que no puede verse mal ante los hijos de Vicente, empieza a mandarme sus peticiones desde febrero, y por lo que me he enterado, lo mismo hace con los Reyes Magos, con el agravante de que como ellos son tres, a cada uno les manda cartas por separado. Bueno, pero vayamos a lo nuestro. En su carta me pide mantener la presidencia para el 2006. *Forget it!* Me pide tener los mismos votos que tuvo Fox para el partido. *Forget it!* Me pide que Dieguito y Vicente ya no se peleen. *Forget it!* Me pide que Martita ya no se considere posible candidata a la Presidencia. *Forget it!* Me pide que Fox ya no hable tanto. *Forget it!* Y me pide que efectivamente México sea el País de las Maravillas. *Forget it!!!* Mire, Luis Felipe, aquí entre nos, he recibido otras solicitudes de partidos muy importantes en el mundo, pero como las suyas, *forget it!* Yo creo que ni el Niño Jesús le podría hacer el milagro. ¿Cómo puede pedirme todo lo que me pidió con un presidente como Vicente Fox, con un gabinetazo como el que tiene y con un partido como el que dirige el cual más bien quiere parecerse al PRI de los cincuenta?

Por más que quiera darle gusto, no puedo, don Luis Felipe. Por otro lado sé, por muy buenas fuentes, que de niño era usted muy bien portadito, eso sí, un poco hipocritón, pero siempre obediente con sus mayores, cumplido con sus tareas de la escuela y muy buen hijo. Me temo, sin embargo, que ha cambiado mucho. Quiero pensar que han sido algunas malas compañías, como, por ejemplo, Dieguito, Panchito Barrio y Felipillo. A ellos los conozco desde hace mucho tiempo y, créame, no son buenos muchachos. Por eso mejor sus cartas se las regreso sin abrir.

Para que vea que me es simpático, permítame recordarle la

primera cartita que me envió justo hace tres años: «Dear Santa: si bien es la primera vez que me dirijo a usted, me atrevo a pedirle diversos regalitos porque me han dicho que es usted muy cumplidor. En primer lugar un par de botas para mi jefe y otras para mí. Me gustaría que fueran las de él de cocodrilo, y las mías de imitación. Asimismo, le pido también para mi jefe una hebilla bañada en oro de 18 kilates, que diga FOX, una para mí (en pewter para no tener que limpiarla) que diga Fax porque me encanta recibir instrucciones por medio de este sistema. Muchas gracias, Luis Felipe.» No deje de escribirle a los Reyes Magos. Parece que alguno de ellos es panista y amigo de Abascal... Un abrazo, Santa.

¡Híjole!, qué tremenda responsabilidad me había dado Santa. ¿Cómo explicar que eran en realidad misivas de Papá Noël, que no eran alucinaciones mías? Aunque sabía que mi prestigio estaba en juego, decidí transmitirlas, curiosamente inspirada por el espíritu de lucha que siempre muestra Marta Sahagún, despojándome de todos los impulsos del ego, ateniéndome a lo que el destino determinaba como misión para mí. Sentí como un triunfo sobre mi falsa modestia y mis pretensiones intelectuales, porque me había dado la oportunidad de ser un instrumento de algo superior a mi condición humana.

Pero todavía no había concluido mi cita con la fábula. Los días habían pasado y llegó la cena de Navidad. Esa noche tuve un sueño. Un sueño muy extraño. Tal vez se debió a la cantidad de pavo con su respectivo relleno de castañas que cené, o fue un castigo por haber salado el bacalao. El caso es que me veía frente a un Santa Claus cuya expresión de tristeza era más que evidente. El Santa de mi sueño se veía pálido, demacrado y con unas ojeras profundísimas. Por extraño que parezca, no era el perso-

naje gordo y rozagante al que estamos acostumbrados a ver en la publicidad, sino que se trataba de un Santa Claus extremadamente delgado. Además, estaba calvo y su barba se veía particularmente rala.

—Ay, Santa, ¿pero qué te pasa, por qué te ves tan «madreado»? —me escuché preguntándole entre sueños.

—Es que estoy muy deprimido. Hacía mucho tiempo no me embargaba tanta decepción. Estoy decepcionado de ver en lo que se ha convertido el mundo. Nunca como en esta ocasión me ha parecido tan injusto y cruel. Temo que los niños ya no creen en mí. Hoy por hoy, el que exista o no exista Santa Claus «les vale…», como dicen. No es casual que cada año que pasa reciba menos cartas. Para colmo, las pocas que me llegaron esta Navidad no nada más contenían una enorme lista de peticiones y más peticiones, sino que en ninguna de ellas se hace una sola mención de una buena obra hecha a lo largo del año.

—¡Qué lástima, Santa! Créeme que lo lamento. Es verdad que los niños del siglo XXI están cada vez más materialistas y menos inocentes. Muchos de ellos ahora en lo único que creen es en el *Big Brother*, en *Otro rollo*, en los *realitys* como el de Paris Hilton, en los *chats*, en Internet y en…

—¡Las marcas! En las marcas de todo aquello que se puede comprar con dinero y que da estatus. Ahora todo quieren con marca. «Dime qué marca son tus jeans y te diré quién eres», es su consigna. Los niños de estos tiempos les exigen a sus padres regalos de no menos de 2 mil pesos. Más que juegos, les exigen ropa de importación. Les exigen tenis cada vez más caros y de modelos cada vez más excéntricos. Hoy por hoy, los niños de ocho años ya no me piden juegos que los diviertan o los ayuden a ejercitar su imaginación, en su lugar piden un celular o una chamarra de piel que vieron en Zara. O bien, el nuevo modelo de su computadora, con más memoria. No te puedes imaginar las cámaras de fotografía digitales que me pidieron este año. Lo más triste de todo es que lo exigen sin importarles si durante el año estudiaron, si obedecieron, o si se portaron bien. Si su comportamiento es bueno o es malo los tiene sin cuidado. Lo único que les interesa es recibir regalos y más regalos caros y muy modernos. Incluso muchos de estos pequeños están más materialistas que lo que suelen ser sus padres. Lo más llamativo de todo es que estos papás no saben ponerles límites. Prácticamente todos actúan hacia ellos como si se sintieran culpables. Culpables por no actuar como buenos padres. Culpables porque no les dedican el tiempo suficiente. Y culpables porque son padres divorciados. No saben decirles que ¡no! De ahí que muchos de ellos hubieran optado por endeudarse con sus tarjetas de crédito; hubieran optado por pagarles unas vacaciones regias en el extranjero y hubieran optado por hacerlos sentir merecedores de todos los privilegios. Todo esto me deprime sobremanera. Su forma de educar a los hijos ya no corresponde con mi filosofía. Concluyo entonces que mi existencia no tiene otro objeto más que el apoyar de más en más las campañas publicitarias.

—Ay, Santa, es que no es fácil. Como madre te puedo decir que el único deseo que tenemos en esta temporada es darles gusto a nuestros seres queridos. ¿Cómo? Llenándolos de regalos. Créeme que es dificilísimo abstraerse de esta sociedad de consumo.

—Pero es que cada año es peor. ¿Qué no te das cuenta de que cada vez hay más niños pobres en el mundo? ¿Qué no te das cuenta de que en estos días sufren doblemente su miseria? ¿Te imaginas lo que deben de sufrir de ver por la televisión todos esos anuncios de productos que jamás podrán comprar? Por eso estoy deprimido. Tengo una cruda moral espantosa. Ya no quiero ser Santa Claus. Me niego a seguir siendo un producto de Coca-Cola. Me niego a continuar provocando ilusiones y falsos sueños. Me niego a seguir echándome esas carcajadas como de idiota. ¡Estoy harto! No sé qué hacer. ¿Tú crees que no me deprime que me imite un personaje como Pancho Cachondo? ¿Tú crees que no me deprime que Vicente Fox, a pesar de que ya se acabó la Navidad, continúe prometiendo muchas más cosas que yo? ¿Y tú crees que no me deprime pensar lo necesario que soy estos días, y al mismo tiempo lo efímero que realmente soy?

—No exageres, Santa. No es para tanto. Tal vez lo que te haga falta, en estos momentos, sea tomarte unas vacaciones largas. Necesitas olvidarte de estas fechas… y de todas tus decepciones. Tienes frente a ti todo un año para reponerte… para volver a engordar y para rescatar toda tu energía… Ya verás todas las cartas que recibirás no nada más de los niños, sino de sus papás. ¿Qué no ves que la situación para el futuro pinta de color de hormiga? Si no te pedimos a ti, que ganas en dólares, nuestra Navidad, ¿a quién quieres que se la pidamos? ¿Al niño Dios? ¡Imposible! Como sabes, él es el más pobre de los pobres… Sinceramente, y con todo respeto para el niñito Jesús, tú nos das más ilusión…

—Lo siento pero yo ya no regreso. Allí están los Reyes Magos, recurran a ellos. Yo ya me cansé. Que el próximo año venga su Pancho Cachondo en mi lugar, a ver cómo los ayuda este legislador tan simpático. Allí está su Vicente Fox, que a fuerzas quiere ocupar mi lugar. Él también usa botas y cinturón de hebilla. A él también le gusta echarse sus carcajadotas. Y él también adora crear muchas expectativas. Además, allí tienen también a

Martita y a su fundación. Pero por lo que a mí se refiere… aquí pinto mi raya…

Entre más trataba, en el sueño, de convencer a Santa de que no renunciara, más tenía la impresión de que se alejaba de mi presencia. No fue sino hasta ese momento que me percaté de su trineo. Curiosamente estaba estacionado, a la altura de Barranca del Muerto, en el segundo piso del periférico. Su pobre vehículo se veía totalmente destartalado. Los cuatro renos que lo tiraban, con mucha dificultad, parecían fatigadísimos. Vi que la nariz roja de Rudolph no brillaba. El cuadro era desolador.

—No, Santa, ¡por favor! No nos puedes hacer esto. ¿Te das cuenta el desprestigio que sería para nuestro país si no vinieras el próximo año? ¿Te imaginas al conductor de las noticias de CNN diciendo: *This Christmas Santa Claus is skipping Mexico*? Seríamos la burla de todo el mundo…

Estaba yo diciéndole todo lo anterior cuando, de pronto, vi cómo cuatro tipos se acercaban al trineo de Santa para asaltarlo. Vi cómo empezaron a jalonearlo, hasta dejarlo tirado en el suelo. Vi cómo le quitaron el látigo con el que arenga a sus animales. Y vi cómo sus asaltantes se elevaban por las alturas del periférico dejando al pobre de Santa Claus solo en medio de un tráfico atroz.

—¡Qué buena onda! Ahora sí, ya sin mi trineo, menos sentido tiene que siga siendo el Santa Claus de los mexicanos. Ya se me quitó la depresión. Hurra, ¡ya me liberé! ¡Al fin libre! Ya me voy a instalar a San Blas. Me voy a escribir mis memorias. Pero antes de despedirme, te quiero decir algo, si los mexicanos continúan como están, es decir, fomentando la brecha entre ricos y pobres, el año que viene no les quedará más que cantar: *Chinga bell, chinga bell, chinga all the güey*… Jo, jo, jo, jo…

Y entre más se reía y se reía, más se recuperaba físicamente. Poco a poco rescató su figura de siempre, hasta convertirse en el Santa Claus de los anuncios publicitarios. Fue justo en ese momento que me desperté de este sueño tan extraño... y tan aterrador a la vez...

La verdad es que todo esto me deprimió un poco. ¿Cómo creer en algo si ya ni Santa cree en sí mismo? ¿Qué motivos encontraría para seguir trabajando, leyendo, escribiendo, si parece que ya nada tiene significado alguno? Debo confesar que me metí en la cama todo un día, incapaz de hacer frente a un mundo carente de los estímulos más básicos. Y claro, me dio migraña. Una migraña que me hacía sentir que me había puesto un casco de equitación tres tallas más chico. Sentía que se me iban a salir los ojos, empujados por la presión del casco. Me encontraba tendida con mi bolsa de hielos sobre la cabeza, misma que heredé de una tía abuela y que es lo único que quita las cefalalgias, cuando vi una imagen reveladora en la revista que estaba ojeando con desgano: era un artículo sobre cómo presentar las uvas en la cena de año nuevo. Al enterarme de que uno las puede poner en una canastilla dorada, adornar los racimos con moños rojos —el rojo da buena suerte para el año que entra— u ofrecerlas ya sin rama en pequeños *bowls* de plata, se me ocurrió hacer algo que no había hecho nunca. De hecho, creo que muy pocos políticos y mucho menos Martita y Vicente Fox lo han hecho jamás, porque como de todas maneras parecen vivir en la fantasía, pues poca necesidad tienen de soñar.

Lo que hice fue ponerme muy seriecita y concentrada y planear, con la más profunda conciencia de la que soy capaz, lo que habría de hacer el día de Año Nuevo de 2004. Así, llegada la cena del 31, justo a las doce de la noche, a la hora de comerme las uvas, formulé una docena de deseos que en esta ocasión no eran para beneficio propio, sino de mi país. Siento que nunca como ahora está urgido de recibir los buenos augurios que tengan que ver con el avance, el desarrollo y el bienestar de más de 100 millones de habitantes. Ojalá que de veras esta vez se me realicen. Ojalá que este país realmente sea un país de maravillas: de acuerdos y democracia, de justicia social, de menos protagonismo de nuestros, nuestras políticos y más trabajo de su parte.

1. Mi primer deseo estuvo destinado a Vicente Fox como presidente de todos los mexicanos. Así, me dije a mí misma, que me gustaría, con todo respeto, que a partir del 2 de enero de todos los años (porque el 1o. algunos no se publican) leyera cuando menos los principales diarios nacionales. Temo que en lugar de leerlos, se los platican y eligen nada más las buenas noticias (como éstas suelen ser tan escasas, seguramente se las inventan…). Asimismo, le sugiero una suscripción a *Proceso*, semanario que le permitirá tener una visión más realista del acontecer nacional. Sería bueno que especificara si se lo envían, el domingo por la mañana, al rancho o a la capital. También le deseo un curso intensivo de castellano con Arrigo Cohen. El maestro podría asesorarlo en palabras que le pueden parecer extrañas, como «prescindir», ya que fue penoso señalar en sus condolencias a la familia de Juan García Ponce, al decir: lamentablemente las letras mexicanas prescinden ahora de uno de sus más grandes creadores… Por último, le deseo que aunque sea tardíamente asuma el papel de estadista y no de presidente quejumbroso y berrinchudo, que cuando no le salen las cosas por su ineficiencia culpa a los demás.

2. En relación a la primera dama, desearía que, con todo

respeto, se abstenga de actuar en el futuro como vicepresidenta (figura que en nuestro país no existe). Es evidente que así ha actuado en los últimos años. Dado su notorio nerviosismo, que creemos se debe a los nulos resultados del gobierno de Fox y a la cercanía del 2006, ojalá que los próximos años sea la señora Marta más sensata y mucho más discreta. Y debido a la austeridad que nos espera, le deseo contrate una buena costurera para que los gastos en su vestuario no sean tan exorbitantes como en años pasados.

3. Deseo para el ahora coordinador de la bancada del PRI en la Cámara de Diputados, Emilio Chuayffet, que logre alcanzar su *look* tan deseado y que sea el apropiado. He contado, últimamente, hasta seis peinados diferentes. Recuerdo que este dilema también lo tenía cuando era secretario de Gobernación. No hay duda que el diputado no se halla, no sabe cuál es su verdadera personalidad. ¿Cuál será? Y esto me preocupa porque puede afectar su labor parlamentaria, porque así como cambia de peinado puede cambiar de ideas...

4. Deseo que el secretario de Gobernación, Santiago Creel, tome un día el Metro que pasa cerca de sus oficinas en Bucareli y vaya hasta Indios Verdes, para que tenga contacto con los habitantes de la Ciudad de México, que ni son totalmente Palacio, ni viven en San Ángel ni en Las Lomas. Es importante que en esa ocasión deje en su oficina su blazer, su corbata 100 por ciento seda en tono pastel y sus zapatos Ferragamo. Si deseamos esto es porque creemos que si quiere ser presidente, tiene que tener más cercanía con las y los mexicanos que prácticamente no conoce.

5. Deseo de todo corazón que a Fernando Canales Clariond le pidan su renuncia y como, finalmente, eso sucede hasta en las

mejores familias, incluso en las de Monterrey, pues no pasará nada. Lo más probable es que con esta renuncia la economía del país mejore, porque no creo que encuentren un suplente peor para sustituirlo.

6. La sexta uva estuvo destinada a desear que el carácter de Diego Fernández de Cevallos se mejore. Que no haga tantos corajes, que no saque tanto los ojos cuando se enoja, que no hable tan golpeado, que no se pelee con López Obrador, con Lino Korrodi, ni con Fox, ni mucho menos con sus compañeros de bancada, que hasta lo quieren destituir. Como decía mi abuela: tu carácter es tu dote o es tu azote... En el caso de Diego sin duda es su azote... y el nuestro...

7. Deseo que Bernardo Bátiz incremente su poquísimo carisma. Ojalá que pudiera cambiar de *look* y dejar de parecerse a Domingo Soler actuando en malas películas. Cada vez que lo veo aparecer en la tele imagino que acaba de tomar una taza de café tibio con leche y una concha con natas. Esto lo digo preocupada porque ni los jefes de pandilla de esta ciudad se asustan con su imagen de persona demasiado decente. (Bueno, ni siquiera con Giuliani se asustaron...) Es cierto que don Bernardo es una persona muy confiable y honesta, pero no debe de olvidar que en esta ciudad la violencia y la inseguridad siguen siendo un flagelo y que lo que se requiere es un procurador más contundente.

8. Para los próximos años, deseo sinceramente que Xóchitl Gálvez elimine de su vocabulario todas las groserías de carretonero que suelta a la menor provocación. Sentiría menos agresión si las dijera en inglés, francés, alemán o chino. Estoy segura que los indígenas a los que ella dice representar no utilizan tan exageradamente dichas palabrotas. Además de agredirnos, no comunican...

9. Deseo que Rodolfo Elizondo no nos salga con la sorpresita de la instalación de los casinos en México. Deseo que para el futuro ya sepa bien a qué se dedica la Secretaría de Turismo para que así durante los años venideros pueda alcanzar algún logro, ya que seguramente en 2006 se irá de campaña sea quien sea el candidato o la candidata a la Presidencia.

10. Ojalá que el gobernador Ricardo Monreal ya entienda que no tiene posibilidades de ganar la Presidencia en 2006. Ojalá que mejor se ponga a trabajar por Zacatecas, para que Amalia García, la próxima gobernadora, tenga buenos resultados en su elección.

11. Deseo que Arturo Montiel no decepcione a su esposa francesa (guapísima, por cierto) como al parecer decepcionó a Elba Esther. Ojalá que no recurra, para seguirla conquistando, a las típicas manipulaciones de los machos mexicanos, atavismos que seguramente le reaparecen algunas veces. Ojalá que nunca le juegue chueco a su esposa como le ha jugado a muchos de sus congéneres y ojalá que la ayude ahora que nazcan sus gemelitos.

12. Finalmente, cuando sonó la doceava campanada y tenía yo entre mis dedos la última uva, desee, genuinamente, que resucitara Luis Donaldo Colosio (el «chinudito», decía doña Lola con mucho afecto). Con la resurrección del candidato del PRI a la Presidencia seguramente ya no se pelearán tanto los priistas. Carlos Salinas de Gortari se regresaría a Dublín, Alfonso Durazo regresaría al PRI, Roberto Madrazo a Tabasco, Elba Esther al SNTE, Angélica Luna Parra sería senadora, Margarita González Gamio conservaría su consulado en Boston, Heriberto Galindo sería el coordinador de la bancada del PRI, Martita se iría a Guanajuato a instalar una cadena de farmacias y, por último, promovería a Beatriz Paredes como candidata a la Presidencia de 2006.

Con todos estos buenos deseos, dictados desde lo más profundo de mi corazón, también pedí porque los deseos de todas y todos los mexicanos se cumplan cada año que pasa y que entre ellos contribuyan a que salgamos del *impasse* en que se encuentra nuestro pobre país desde hace ya tanto tiempo. Así, muy contenta y tranquila por la generosidad con la que había donado mis propios deseos a la esperanza de tener un país mejor, me fui a dormir, un tanto desvelada como todas las vísperas de Año Nuevo nos desvelan a una buena parte de la sociedad mexicana.

No saben cómo me sentí luego de haber donado todos mis deseos al pueblo y puebla de México. Me sentía como iluminada, como si en mi pecho hubiera brotado una luz especial, una suerte de bienestar, como el que me imagino sienten las y los políticos cuando han hablado bien —nótese que no digo obrado bien—. Seguía yo instalada en mi misión, al estilo Martita, de transmitir bondad, generosidad, buena vibra, como dicen mis hijos. Pero no crean que ese estado eléctrico me iba a durar mucho. Y la culpa la tuvieron mis amigos, cuando me regresaron de pronto al mundo real, a la realidad.

«De todos los presidentes que nos han gobernado desde los últimos 200 años, el que parece tener menos luces es Fox», dijo tajante un intelectual muy reconocido en una reunión informal. De pronto vi negro. Las tinieblas me envolvieron. Sombras nada más empezaron a formarse ante mí. «*Oh, my God!*», exclamé para mis adentros. «¿Qué quiso decir exactamente mi amigo? ¿Lo habré escuchado bien? Si lo dice él, que es un ser tan iluminado y que sabe tantas cosas, ¿será entonces verdad que la inteligencia de Vicente Fox vive en un eterno apagón? ¿Cómo encender las luces que requiere para gobernarnos sin correr el riesgo de que se produzca un corto circuito? ¿A qué equipo de electricistas habría que encomendarle su caso?», empecé diciéndome en dicho encuentro de amigos que estuvieron de acuerdo con la aseveración de nuestro conocido.

«No obstante, durante su campaña hasta parecía respirar luz», agregó, entre sonrisas, un comunicólogo que se las sabe de todas a todas. «Es cierto. Además no podemos dejar de reconocerle que nos llevó al cambio. Sin embargo, tampoco podemos dejar de admitir que, en estos momentos, los mexicanos no vemos claro. Tal y como se presenta la situación actual, al tener a un presidente con esas limitaciones el país podría caer en una crisis insoluble. Ya vimos las consecuencias después de la guerra de Irak. Y qué decir del asunto migratorio que nomás no llega nunca a ningún lado por más que vaya y visite a Bush en su rancho. No nos hagamos ilusiones, nosotros para Estados Unidos no representamos ninguna prioridad y menos ahora...» Entre más escuchaba estos argumentos por boca del pesimista de mi amigo, más me preocupaba por la supuesta falta de luces del presidente. «¡Híjole, ojalá y se le prenda el foco, aunque sea su foquito de cinco watts para que visualice las consecuencias de sus decisiones para México! ¡Qué susto, los años que nos esperan en México van a estar a media luz! Espíritu Santo, fuente de luz, ¡ilumínalo!», comencé a rezar compulsivamente. «¡Hágase la luz en la cabeza de nuestro presidente. Que un rayo de sol ilumine su entendimiento! Virgen de Guadalupe, mándale uno de tus rayitos luminosos. San Juan Diego, sácalo de las tinieblas. Nuestra Señora de la Luz, no lo abandones», rezaba yo como solía hacerlo antes de mis exámenes.

«Quizá no sea por falta de luces que nuestro presidente no percibe las cosas con claridad, sino por exceso de ignorancia». Como bien decía el escritor francés Sacha Guitry: «Lo único que sabe se lo debe a su ignorancia», apuntó el que más sentido del humor tenía. Para esas horas el ambiente de la reunión había abandonado ese espíritu de bonhomía con la que habíamos empezado la tertulia. «¿Qué vamos a hacer? Veo la situación cada vez peor. El vacío de autoridad cada vez es más evidente. Lo que sucedió en la Cámara es una prueba flagrante de que las instituciones no funcionan. Para colmo, tengo entendido que el presidente ya no escucha. Sigue obsesionado con su índice de popularidad. Y por si fuera poco «las luces» de Martita lo tienen totalmente deslumbrado», acotó la esposa del economista, también especializada en economía, y prosiguió: «Sigue en su mundo carrolliano, de puro surrealismo garnachero, con la realidad económica agarrada de un hilito». «¿Y qué me dices de su gabinete? Tampoco tiene muchas luces que digamos…», dijo el comunicólogo. «Perdóname, pero ahí sí no estoy de acuerdo contigo. Allí están Paco Gil, Josefina Vázquez Mota y Reyes Tamez. Ésas serían para mí las únicas excepciones, porque los demás son como pequeñas luciérnagas. Sinceramente, el que más me preocupa es el presidente. Siempre me ha intrigado cómo le habrá hecho para llegar a la Presidencia», dije un poco atropelladamente, temiendo que mis juicios resultaran fuera de lugar. «Mira, Guadalupe, te voy a decir lo que dijo Winston Churchill en una ocasión: "Una de las lecciones más grandes de la vida, es saber que aun los tontos a veces tienen razón", dijo él humoroso, con su ironía habitual. Me quedé callada y pensé que de ahora en adelante le iba a conceder más crédito a todas las tontas y los tontos que conozco.

«Y esto no es nada… Van a ver ustedes cómo se va a poner la situación en el campo. El campo mexicano no tiene solución. No hay nada que hacer. He allí el gran foco rojo que está encendido desde hace muchos años. En muy poco tiempo los 4 millones de campesinos que se quedarán en el desempleo nada más tendrán tres opciones: «la primera, irse a trabajar del otro lado; la segunda, sembrar droga; y la tercera, unirse a la guerrilla», explicó el único periodista que se encontraba en la reunión. De pronto se hizo el silencio. No había nada más que agregar.

Finalmente, cuando llegó la hora de despedirse, me di cuenta que todos lo hicimos como apesadumbrados. A pesar de que nos habíamos reído mucho, no hay duda que nuestro espíritu estaba como ensombrecido. Cada quien se dirigió hacia su respectivo coche con sus dudas a cuestas.

«¿Estará pendiente de todo esto Vicente Fox? ¿Qué le dirán sus colaboradores más cercanos? ¿Lo engañarán? ¿Serán todos los típicos *yes-man*, temerosos de decirle la verdad para no perder sus puestos? ¿Se reunirá de vez en cuando con los columnistas y politólogos más importantes del país? ¿Le echará de vez en cuando un ojo a las investigaciones que se hacen en los centros de estudios para México que se realizan en el extranjero? ¿De veras no leerá los periódicos el presidente? Ojalá que lea aunque sea la síntesis… ¿De qué platicará con su familia cuando está en su rancho? ¿De su popularidad? ¿No se quejarán sus hermanos con él respecto a la situación del país? ¿Qué no entiende que la popularidad es de lo más efímero del mundo, que quien la tiene puede dejar de tenerla de la noche a la mañana? Ni siquiera es espuma. Finalmente, de una gran popularidad no queda nada, nada… Como bien se dijo en la reunión, el único político que tiene los pies sobre la tierra es Andrés Manuel López Obrador. Ése sí que tiene luces… Le guste o no le guste a mucha gente, es el único faro en el horizonte…»

En todo esto pensaba de regreso de mi casa en tanto me desplazaba lenta, muy lentamente, por un Periférico atestado de automóviles. Súbitamente un conductor me tocó el claxon. Se emparejó y empezó a hacerme unas señas muy extrañas. Abría y cerraba su mano. Al no entender lo que intentaba decirme, bajó la ventanilla y me dijo a gritos: «¡¡¡Las luces, señora, las luces!!!». No fue hasta ese momento que me percaté que tampoco yo tenía luces…

Mi Chente querido

Aunque la vida privada de los candidatos no debe tener ninguna relevancia en el debate público, no hay de duda que la de Fox despertó una inusual curiosidad en las históricas elecciones del año 2000. En efecto, de los tres aspirantes punteros a la Presidencia, Francisco Labastida, Cuauhtémoc Cárdenas y él, el panista era el único que, de llegar a Los Pinos, no tendría a su lado a una primera dama. Si bien estamos conscientes de que nuestra Constitución no exige que el primer mandatario esté casado, a muchos mexicanos, todavía, les resultaba determinante que lo estuviera. De ahí que *Actual*, una de las revistas de sociales que más circulan en el país, haya dedicado su portada de junio del año 2000, el momento más candente de la contienda política, a la pregunta que seguramente se hacían muchos electores: «¿Quién será la futura señora Fox?». La primera candidata, según la publicación, era Viviana Corcuera. «Brincos diera Fox», nos dijimos, ya que de las cuatro posibles ella sería, indiscutiblemente, una primera dama como de película, pero dirigida por Visconti. Y es que así es Viviana de estética, incluyendo el mundo que la rodea. Qué tan guapa y glamorosa es la viuda de Enrique Corcuera García Pimentel, que a finales de los sesenta fue Miss Argentina. De ella diremos muchas cosas: que tiene personalidad; que cree en la amistad; que es una mujer divertida y curiosa; que tiene inquietudes filantrópicas y que, desde hace muchos años, es la referencia obligada de la alta burguesía mexicana. ¿Por qué? Porque se casó con «Quique», como lo llamaba todo el mundo. Sin hipérbole, podríamos decir que este hacendado millonario llegó a ser el «mejor partido» y «el *playboy*» más cotizado de México en el siglo XX. Tan es así que cuando se encontraba muy enfermo, empezó a escribir sus memorias. En ellas narró acerca de todas sus conquistas nacionales, pero, sobre todo, las internacionales. Con su tipo tan distinguido y su estilo sumamente mundano, llegó a inspirar grandes pasiones entre las famosas actrices de cine francés y norteamericano; y también las representantes del *jet-set* y las princesas europeas.

Una vez que terminó de escribir toda su vida, que duró más de 80 años, Viviana y él se percataron de que, literariamente, la autobiografía dejaba mucho que desear. Fue por eso que le propusieron a Elena Poniatowska que la reescribiera. Durante varios meses fue a platicar con Quique. Una vez que el protagonista le contaba todas sus aventuras y vivencias, Elenita corría a su casa para escribirlas. Pero cuando la obra estaba a punto de entrar a «galeras», Viviana llamó a la autora de *La Noche de Tlatelolco* y le suplicó que no publicara la biografía, porque supuestamente sus hijos se negaban. No obstante todo el trabajo que le representó, Elenita accedió. Pero cuál no fue su sorpresa cuando, un tiempo después, Viviana le volvió a llamar para decirle que siempre sí. Y Elenita contestó que siempre ya no. Esto, naturalmente, molestó a Viviana, una mujer que está acostumbrada a que todo el mundo le diga que sí. De ahí que Vicente Fox, desde que empezó su campaña presidencial, la haya adoptado como una de sus activistas más solidarias, para que le organizara encuentros con su «mundo», con su «gente», con su «grupo», el cual, por minúsculo que sea, no deja de ser muy influyente. Pero de eso a que se pudiera convertir en su futura esposa había una gran distancia, a nuestra manera de ver, más bien: ¡¡¡enorme!!! Sin embargo, pensábamos que nada más eso le faltaría a esta mujer que, aparentemente, lo ha tenido todo en la vida: una familia preciosa, dinero, prestigio, admiradores millonarios como Loel Guiness, dueño de la cerveza inglesa del mismo nombre, viajes, éxito social, reconocimiento a su belleza, etcétera. Lo único que le hubiera faltado sería ¡¡¡poder!!! Y ese aspecto no le ha de haber sido tan indiferente. «¿Con Fox?», imaginamos en ese momento qué le diría Quique desde el más allá: «Pero si es un verdadero ¡¡¡patán!!!» Por último, por lo que se refiere a Viviana en relación con Fox, nos preguntamos en ese momento: «¿Habrá soñado alguna vez con ella, no como amiga, sino como mujer?» Algo nos dice que es lo más probable.

Por otro lado, la entrevista que le hizo Sonya Valencia a la ex mujer de Vicente Fox, Lilián de la Concha, resultó verdaderamente conmovedora por la llaneza y el candor de la que fuera su esposa durante 20 años. «Volvernos a casar sería una muestra de perdón mutuo», admitía, para luego confesar que: «es triste pensar que el poder que lo rodea y la ambición de sus asesores (¿?) bloqueen una reconciliación entre nosotros. Sin embargo, por toda la vida y aun en el cielo seguiremos siendo esposos». ¿Qué asesores son los que supuestamente se oponían? ¿Marta Sahagún, otra de las candidatas, según *Actual*, a ocupar el puesto de la primera dama? ¿Su ex suegra? ¿Su hija mayor, de los cuatro que adoptó el matrimonio Fox? ¿Qué habrá pensado Fox sobre ese posible «perdón»? ¿Quién le tenía que pedir perdón a quién? La entrevistada reconoció que, en 1988, ella pidió el divorcio, porque estaba pasando por una depresión «muy fuerte al haber perdido a mis padres», pero sobre todo porque se sentía muy abandonada por un marido que, entonces, se encontraba demasiado ocupado en su campaña para gobernador. «Espérate tantito», dicen que le dijo. Pero una vez que se enteró que Carlos Medina sería el gobernador, entonces de plano Vicente le aclaró: «¿Sabes qué? Hasta aquí llegó tu compromiso conmigo. A partir de mañana, puedes buscar a dónde irte. Muchas gracias por haberme esperado.» Lo que ya no supimos fue si después agregó: «¡¡¡¡Hoy, hoy, hoy, hoy; quiero que te me vayas pero ya!!!!». Según aquel reportaje «la disolución del matrimonio se oficializó en 1991», y a decir de la pobre de Lilián, se le vino, literalmente, el mundo encima. «Habría deseado que Vicente se esforzara por retenerme, lo habría anhelado con todo el corazón». ¿Por qué no la habrá retenido? ¿Qué era lo que lo retenía? También ¿sus asesores? «Tienes que madurar», parece que le dijo él a ella. «Tal vez me faltó tiempo para hacerlo: a la fecha, todavía no cumplo la edad de Vicente cuando nos separamos, nuestra diferencia de edades es mucha.» Lo que más le preocupaba a Lilián era pensar que sus hijos «llegaran solos a Los Pinos y se convirtieran en chicos prepotentes, que pierden el piso, se me paran los pelos» (también a nosotros…).

Todo el mundo sabe que la mujer más cercana a Fox fue, ha sido y es Marta Sahagún, la misma que le escribiera en un papelito, aquel «martes negro», el día del debate: «¡Ya vámonos, Vicente!», mientras él seguía diciendo: «¡¡¡Hoy, hoy, hoy, hoy…!!!». He allí una actitud de la típica esposa que se está percatando del terrible «oso» que está haciendo su marido. Sin embargo, también podría interpretarse como una iniciativa sumamente profesional por parte de la vocera y jefa de comunicación de la campaña. No obstante, mucha gente que rodeaba al candidato por el PAN, dijo percibir una relación sentimental entre los dos, especialmente en lo que se refiere a Marta. «Cuando está con él, se le cae la baba», «no deja que muchas mujeres se acerquen a él», decían. «Si quieres abordar a Fox, primero tienes que pasar por Martita», etcétera, etcétera. ¿Cuáles serían realmente en esos momentos los sentimientos del panista hacia la ex alumna del Colegio Teresiano?

Lucía Méndez apareció también en algún momento como la cuarta posible candidata (atractivísima) a ser la primera dama. Cuando en aquella época vimos la foto de los dos juntitos, pensamos, sinceramente, que hacían muy bonita pareja. Por esos días se supo de una ocasión en la que la actriz tomaba café con Fox en el restaurante Los Almendros y de plano ella no se aguantó más y le dijo: «Quisiera saber por qué tu nombre parece un karma en mi vida, por qué me preguntan por ti en cada sitio que piso y por qué la gente insiste en ligarme sentimentalmente a ti si apenas te conozco». No sabemos lo que le contestó Fox, pero queremos pensar que ante tal declaración le ha de haber dicho: «¡¡¡Hoy, hoy, hoy, hoy…!!!» Éstas fueron las cuatro flores que aparecieron en el jardín secreto de Vicente Fox candidato a la Presidencia. Sin duda, lo más interesante fue poder especular sobre el estado en el que se encontraba ese jardín tan, tan secreto, el de un hombre que no había podido resolver su vida sentimental en el momento de llegar a la Presidencia de la República. Metafóricamente hablando, podríamos decir que llegó a la silla, pero en ese momento era una silla de tres patas.

Y algo de razón hay en esto, porque desde el principio empezamos a notar ciertos síntomas de una enfermedad que no se podía diagnosticar todavía, una enfermedad que empezaba ya a afectar el sistema de gobierno y de administración pública. Al principio, pensábamos que tal vez se trataba de los problemas naturales de la transición democrática, seguíamos con la ilusión del cambio, seguíamos entusiasmados con la idea de un México sin PRI. ¿Sería de veras que todos eran tan malos como para empeñarse en hacerle la vida imposible a este nuevo gobierno legítimamente honesto y bien intencionado? ¿De veras todos los grupos de poder de nuestro país deseaban un México deshecho, dividido y sin posibilidades de recuperación en sus más terribles rezagos sociales? La verdad es que yo todavía tenía cierta esperanza, me sentía como esas novias que ya se han dado cuenta de que su novio no es lo que creían, y sin embargo siguen creyendo en él, en que va a cambiar, o en que algo va a suceder para que de repente todo sea como ellas se lo han imaginado.

Pero no sucedió nada. Es más, todo empezó a ser exactamente como la novia —muy en el fondo— ya sabía que era el novio (y no estoy hablando de la boda con Marta en julio del año 2001, casi un año después de haber tomado posesión). Y uno de esos momentos en que uno se enfrenta ya con la realidad de a de veras fue el Primer Informe de gobierno de nuestro heroico presidente, el primero en tantos años que no emanaba de las filas del partido que tanto habíamos soñado derrotar.

Por más esfuerzos que hacía, no lograba concentrarme. A pesar de que estaba en la mejor disposición para escuchar con atención el Primer Informe del presidente Fox, sus palabras dichas con estilo acartonado y demasiado oficial me entraban por un oído y me salían por el otro. Como cada año en esta misma ocasión, me instalé frente al aparato con una libreta de hojas blancas para mis apuntes. El presidente continuaba con su discurso pero yo no tenía nada que escribir. Comencé a hacer garabatos. A pintar corazoncitos en los cuales escribía dos iniciales: «E y G». Era evidente que me estaba aburriendo de la manera más romántica del mundo. Opté entonces por hojear un viejo ejemplar de la revista *Paris-Match*. Era tan antiguo como el formato del acto oficial que aparecía en la pantalla de mi aparato. En seguida, bajé a la cocina y puse a calentar el agua para el café. Mientras hervía el líquido telefoneé a Sofía para ver qué estaba haciendo. «Nada. Aburriéndome. Estoy viendo el Informe. ¿Por qué mejor no lo habrá escrito Vicente Fox? Es cierto que ya estamos un poquito hartos de su estilo campechano, pero es que éste no le queda nada. Te lo juro que parece que fue con Miguel de la Madrid y le pidió prestado uno de sus viejos informes. «Oye, ¿por qué no vamos al cine?» Le respondí que yo sí tenía que escucharlo y que mejor nos llamaríamos más tarde. Una vez que el agua hirvió a borbotones, busqué la charola, le puse su carpetita, coloqué la taza, el termo y el frasquito de Nescafé. Con todo cuidado subí las escaleras y cuando al llegar al estudio vi la televisión encendida me pregunté por qué razón estaría prendida. «Ah, sí, por el Informe», recordé al ver a Fox con su banda presidencial. Retomé mi lugar en el sillón. Preparé el cafecito. Busqué la libreta y, de lo más desganada, escribí: «bla, bla, bla…» Líneas abajo, con un plumón de punta gruesa, apunté el siguiente título: Reflexiones sobre un Informe sin forma. Permítanme transcribirles todo lo que apunté a partir de ese momento.

No, no, no, no; el formato de este Informe ya no corresponde a estos tiempos. Afortunadamente los mexicanos ya estamos viviendo otra película. Esta toma con Vicente Fox leyendo su discurso como solía hacerlo Luis Echeverría bien podría haber sido extraída de una de las escenas de *La Ley de Herodes*. Lástima porque, una vez más, los ciudadanos nos creamos muchas expectativas alrededor de este Informe y, una vez más, nos decepcionamos. Por eso se escucha bla, bla, bla... Me hubiera ido al cine con Sofía. Lástima porque de haber cambiado el formato, hubiera sido un ¡*hit*! Hubiera sido una oportunidad espléndida para romper con los viejos estilos priistas. Los mismos que a lo largo de los años nos saturaron, nos indigestaron y nos hartaron. ¿Por qué, si se atrevió a casarse, y se atrevió a darle la espalda a la Iglesia, y se atrevió a contradecir a sus hijos y se atrevió a sacar a los priistas de Los Pinos, no se atrevió a decir su Informe con su estilo? Más que un Informe de cara a la nación, debió de haber organizado un debate con los legisladores o con los periodistas. Más que un Informe como los de antes, debió de haber respondido todo lo que le dijeron, antes del acto, los legisladores de la oposición. Más que haber leído un Informe, lo debió de haber dicho platicadito. Ay, pobre, lo que pasa es que ya ni ha de saber cuándo ser él mismo y cuándo actuar conforme a su investidura. Se ve cansado, desencantado y muy presionado. Como si al cabo de los días se estuviera dando cuenta que no es naaaaaada fácil eso de ser presidente. Pero olvidémonos de la forma, tampoco ha cambiado nada en el fondo. Ni forma ni fondo. Todo sigue igual: bla, bla, bla.

Este Vicente Fox no se parece al Vicente Fox de la toma de posesión. Ana Cristina, ¿dónde estás? Corre y dile a tu padre que se olvide del discurso por escrito y que nos diga, con sus palabras, en qué estado se encuentra el país. Vicentón, ¿por qué no te veo en el palco presidencial? Corre y dile a tu papá que si los mexicanos votaron por él, fue para que cambiaran las cosas, para que no siguieran igual, para que fueran totalmente distintas. Pero no nada más en su vida personal, sino en el país. Anda ve y dile. Pero por fortuna, allí está la primera dama. Allí está, sentada muy derechita, con su serenidad, su temple, su fuerza interior y su enorme voluntad. ¡Cuánto ha cambiado doña Martita! No nada más de *look*, sino de personalidad. De dueña de una farmacia, a candidata por Zamora, a vocera presidencial y por último a primera dama, se dice fácil. No, no hay duda es una *winner*. Es una Tercera Mujer. ¡Con qué firmeza daba los pasos mientras se encaminaba hacia el Congreso! ¡Qué consistentes se percibían sus tacones bien altos, pero sobre todo muy bien calzados! Además, lleva un traje sastre muy bonito. Muy para la ocasión. ¿Será St. John? ¿O será de Álvaro Reyes? ¡Qué grandotes se le veían sus ojos! Siempre con una sonrisa en los labios y con una actitud de alerta. Aunque uno grandote y la otra chiquita, hacen bonita pareja. Parece ya de esos viejos matrimonios a los que una tiene ganas de invitar para una cena muy a gusto. Juntos los Fox se ven muy buenas personas, muy decentes, gente de toda la vida. A una hasta le dan ganas de pedirles dinero prestado. Hicieron muy bien en haberse casado. Por lo menos eso sí le ha salido muy bien a Fox. Mejor hoy debió de haber dado un Informe acerca de su matrimonio, a pesar de que nada más ha cumplido dos meses. Hubiera sido mucho más divertido. ¿Por qué estoy escribiendo tantas tonterías? Juro que no es mi culpa. Lo que sucede es que ya estoy harta de informes que nada más se limitan a decir bla, bla, bla… ¿Por qué no anuncia la formación de una Comisión de la Verdad? ¿Por qué no pide la renuncia de Diego Fernández de Cevallos? ¿Por qué no nos dice que ya mandó una nueva iniciativa de Ley al Congreso que consiste en el veto de la Ley Indígena? No, por favor ya no más bla, bla, bla…

Curiosamente en la contraportada de este mismo cuaderno escribí: «A los mexicanos no nos queda otra más que contar con nosotros mismos. La solución somos nosotros. No podemos confiar en ningún partido. En lo único en lo que podemos creer es en la Sociedad Civil. Nosotros somos los únicos que podemos salir adelante. Basta con que el hombre, de cualquier partido, llegue al poder, para que cambie. Todos, sin excepción, cambian. El poder los echa a perder. Ya no perdamos más tiempo. Unámonos. La sociedad civil mexicana cada día que pasa está más fuerte y más consolidada. Ella es la que realmente puede cambiar las cosas. Ella es la que realmente tiene el poder. Es la única opción que nos queda: ¡la sociedad civil!».

Qué cosas tan extrañas escribe una cuando no se puede concentrar y se está aburrida. Sin embargo, podría decir que el principio del Informe, es decir, el debate entre los legisladores, me gustó muchísimo. Por fin entendí lo que quiere decir participación legislativa. Por fin entendí lo positivo que es para todos los mexicanos contar con un Congreso plural. Hasta al Niño Verde se le empezaba a ver cada día más listo para lanzarse como candidato a la Presidencia (bueno, no se imaginaba lo que le iba a pasar por andar posando en videos con tan pocas ganas). Ay, pues qué más caray, la verdad es que tal vez, contagiada por el Primer Informe de Fox, también todo lo que he escrito sobre el tema quedó como de: bla, bla, bla... todavía ahora pienso si no hubiera sido más estimulante haberme ido al cine con Sofía.

Pero no, meterme en una sala de proyecciones con Sofía no hubiera resultado como paliativo a un breve momento de hastío y decepción. Con lo que hemos visto desde entonces, habría tenido que instalar una sala de cine en mi casa si hubiera querido evadirme de lo que estaba sucediendo. El presente se mezclaba imperceptiblemente con el futuro, o sea, el presente de ahora, esa sensación de malestar que sentía se fue convirtiendo en leve resignación —aunque a veces muchos nos sintiéramos más bien alarmados y hasta espantados— porque, ¡híjole!, ¡qué duro es equivocarse!, pero ¡¿¡cómo nos estaba pasando esto!?! Y lo peor es que lo peor no es eso, es que cada vez más circunstancias y situaciones nos anuncian que no nada más éramos la opinión pública y los mexicanos los que así nos sentíamos y nos seguimos sintiendo.

Algo me dice que el que está verdaderamente decepcionado, después de estos años de gobierno, de Vicente Fox presidente, es Vicente Fox ciudadano. Es decir, el otro Vicente, el mismo que no acaba de entender qué es eso de gobernar, el que comete errores sin darse cuenta y el que nunca ha leído a Jorge Luis Borges. El otro Vicente está sumamente abrumado. Siente tantas presiones que ya no sabe ni por dónde empezar la larga lista de pendientes que lo espera, sobre su escritorio, todas las mañanas. Primero, Martita le dice una cosa; en seguida Diego Fernández de Cevallos le sugiere otra totalmente contraria; Felipe Calderón contradice a Diego; luego, Castañeda le hacía ver que no era por allí; para que, por último, Santiago Creel le advierta que si toma esa decisión respecto a ese problema que tanto lo aqueja, las consecuencias podrían ser terribles, a pesar de todo lo que le dijo Bravo Mena. Para colmo, entre cita y cita con los miembros de su gobierno, le telefonea Vicentillo suplicándole un encuentro urgente.

Si a todas estas intervenciones le agregamos el contenido de decenas de editoriales que desde hace muchos meses han estado desaprobando totalmente su gestión, es normal que el otro Vicente se sienta tan confundido. Tengo la impresión de que este

Vicente está deprimido. Como que una parte de su personalidad no se halla. Es cierto que es feliz con Martita, con su «cisne», con su «pollito» y con su «niña» —que son algunos de los «apodos cariñosos» que ella misma dijo a la revista *Caras* que Vicente le ha inventado—, pero al mismo tiempo ha de pensar que lo agobia un poco. Tanto amor, tanta dulzura, tanta ternura, tanto corazón y tanta presión para llenar sus expectativas ha de resultar muy agobiante y opresivo.

«¿Cómo darle gusto a todo el mundo, a mi esposa, a mis hijos y a 100 millones de mexicanas y de mexicanos?», se ha de preguntar el otro Vicente las 24 horas del día. No, ciertamente no es fácil para este Vicente tan bien intencionado y tan buena persona. Si fuera por él, ya se hubiera ido a su rancho con su mujer, a montar a caballo y a administrar la fábrica de botas familiar. Ya hubiera renunciado para ocuparse de sus chiquillas y de sus chiquillos. Y ya se hubiera retirado para empezar a idear las estrategias para la candidatura a la Presidencia de su «niña». La misma que lo ayudó a ganar la investidura para presidente el 2 de julio de 2000.

No, ninguno de los dos Vicentes Fox nació para ser presidente. He allí el dilema. No hay duda que como candidato fue más que idóneo ya que supo por su estilo tan personal convencer a la gente y darle fe y esperanzas a las mexicanas y a los mexicanos. Pero, como presidente, no bastan las buenas intenciones, no bastan los discursos populistas, ni mucho menos bastan las encuestas de popularidad sobre su gobierno. La contradicción de los Vicentes es que el ciudadano quiere ser presidente y el presidente quiere ser ciudadano común y corriente, tal y como lo demostró el 1o. de diciembre cuando se paseó por las calles del Centro Histórico de la mano de su «pollito» para celebrar en un restaurante, *tête à tête*, sus dos años de gobierno.

Lo que nos queda muy claro es que la personalidad de Vicente Fox sufrió un cambio muy evidente. ¿Dónde está esa espontaneidad que tanto asombraba y seducía? ¿Dónde están sus ocurrencias siempre tan oportunas e inesperadas? ¿Dónde está esa libertad de expresión con la que contestaba a sus adversarios? ¿Dónde están su franqueza, su frescura y su confianza en sí mismo? Ahora cuando vemos a Vicente Fox en la televisión aparece como un hombre acartonado, un hombre angustiado y un hombre rebasado por las circunstancias. Está confundiendo la dignidad de la investidura con una aborrecida solemnidad. ¿Quién lo estará aconsejando? ¿Quién lo estará confrontando? ¿Quién de todos sus colaboradores más cercanos lo apabulla y lo hace sentir con su actitud de sabiondo que no entiende que no entiende? Tal vez todo esto ha provocado un bloqueo que no permite, a ninguno de los dos Vicentes, actuar normalmente. El ciudadano ha hecho demasiadas concesiones que el presidente asume dada su circunstancia.

¡Qué difícil ha de ser para Vicente Fox conciliar tantas emociones, compromisos, presiones, obligaciones, «grillas», golpes bajos, malas traducciones, desmentidos y metidas de pata que invariablemente tienen que ver con las cuestiones culturales! ¿Por qué cada vez que tiene que leer un discurso que no se relacione con lo que le es familiar se equivoca? Se diría que se siente tan inseguro con estos retos, que él mismo se mete autogoles. No fue casual que en relación con una fecha histórica tan importante como es el año de 1492 haya invertido los números frente a los reyes de España y sin inmutarse, ni corregirse. ¿Por qué? Lo mismo me sucede a mí constantemente, si me encuentro, por ejemplo, frente a académicos, tergiverso y pronuncio mal las palabras. Si alguno de los asistentes a alguna plática que voy a dar es universitario, me pregunta mi opinión respecto a la Reforma fiscal y contesto sobre la reforma política. Por eso lo entiendo y me solidarizo tanto con él, pero yo no soy presidente de la República. Sin embargo, cuando se trata de una plática en la que tengo que leer un texto, procuro leerlo varias veces antes para evitar los obvios errores que podría cometer. Estoy casi segura que el presidente no lee sus discursos y, como él no los escribe, entonces es muy difícil no incurrir en faltas imperdonables.

Yo no voté por Vicente Fox, pero sí me hice muchas expectativas cuando ganó. Incluso escribí un texto titulado «Feliz como una lombriz», porque a pesar de que no había triunfado mi partido, me sentía profundamente gratificada por la transición. Recuerdo que el 3 de julio me dije que estaba dispuesta a depositarle toda mi confianza a nuestro nuevo presidente. Aunque no estaba muy convencida, iba a creer en él. Aunque no me gustaba mucho su estilo, iba a darle, como seguramente le darían millones de mexicanos, el beneficio de la duda. Pero esa determinación la tuve ya hace mucho. Mi beneficio ya se acabó y, ahora, nada más tengo ¡dudas! ¿Cómo hacer para creer en él? ¿Cómo hacer para no dejar que me decepcione? ¿Y cómo hacer para no caer en el escepticismo y en la eterna crítica?

Hay un texto de Jorge Luis Borges llamado, precisamente, «Borges y yo», el Borges íntimo y el Borges público. «Al otro Borges es a quien le ocurren las cosas. Yo camino por Buenos Aires y me demoro, acaso ya mecánicamente, para mirar el arco de un zaguán y la puerta cancel; de Borges tengo noticias por el correo y veo su nombre en una terna de profesores o en un diccionario biográfico…», empieza diciendo, para terminar concluyendo: «Hace años yo traté de librarme de él y pasé de las mitologías del arrabal a los juegos con el tiempo y con lo infinito, pero esos juegos son de Borges, ahora tendré que idear otras cosas. Así mi vida es una fuga y todo lo pierdo y todo es del olvido, o del otro. No sé cuál de los dos escribe esta página.» Me temo que también Vicente Fox no sabe cuál de los dos es el presidente de México, cuál de los dos gobierna, ¿el público o el íntimo?

Me imagino que hay veces en que los dos Vicentes están en sintonía, que se funden en uno cuando reaccionan ante las circunstancias. Y es que, a veces, la desilusión y la frustración nos salen hasta por los codos y actuamos de acuerdo a nuestra esencia. Creo que una de las peores situaciones en la que nos podemos ver involucrados es aquella en la que nos sentimos completamente impotentes, cuando no se nos permite hacer lo que creemos debemos hacer o simplemente lo que queremos hacer.

Cuando pienso en lo que habrán sentido los dos Vicentes en aquella ocasión, en abril de 2002, en que al presidente se le impidió salir de gira me acuerdo que lo primero que pensé fue: «Más vale pedir perdón, que permiso», como dice el refrán popular. Sin embargo, Fox no tuvo otra más que pedir permiso al Senado para poder ausentarse de México y realizar una gira de trabajo por Estados Unidos y Canadá. Pero se lo negaron. De ahí que hubiera decidido hacer un pronunciamiento en un mensaje de rechazo de ocho minutos ante los medios y decir: «Tal parece que la oposición se ha empeñado en que mi gobierno no cumpla con el cambio por el cual ustedes votaron. Independientemente de nuestras diferencias, ratifico ante ustedes que mi gobierno está abierto al diálogo para lograr los acuerdos que pongan a

México al día y a la vanguardia». Recuerdo que se oía decir por todos lados que Vicente Fox estaba furioso, que estaba sentido, que estaba herido y que estaba frustrado. Lo entiendo, porque no hay nada más desagradable que le nieguen a uno cualquier permiso, especialmente si uno ya se había hecho la idea de llevar a cabo su proyecto.

Imagino que Fox ya tenía todo organizado para ese viaje; seguramente ya tenía su agenda confirmada con empresarios, directivos y académicos universitarios y con agrupaciones de mexicanos. Asimismo imagino que estaba segurísimo que obtendría la autorización del Senado para viajar, ya que nunca en la historia de la vida política de México se le había negado un permiso a un presidente para ausentarse del país. Algo me dice que al presidente no nada más le gusta viajar para hacer acuerdos con otros países, sino porque es durante esas giras de trabajo en las que se siente mejor. Se siente como pez en el agua porque sabe que su imagen en el extranjero es mucho mejor que la que tiene en su país. Sabe que sus homólogos extranjeros le tienen, además de admiración, respeto y que lo ven como a un gran líder.

Cuando viaja y sus encuentros con otros mandatarios o secretarios son reportados por los medios, me he fijado que hasta le brillan más los ojos al presidente. Se le ve más entusiasmado, más contento, más relajado y más suelto que cuando se encuentra en el país. Se diría que vaya donde vaya, invariablemente, cuenta con muy buen público, el cual termina por celebrarle todo. Muchas veces he pensado que Vicente Fox más que ser un buen presidente, es un espléndido *Public Relations*, es un espléndido promotor de proyectos y es un espléndido representante de México en el exterior. Más que gobernar, tengo la impresión que a Fox lo que le gusta es promover, es hacer contactos, interceder por los demás y proponer proyectos. Por eso se le veía tan gratificado durante la Cumbre de Monterrey que se celebró ese mismo año. Estaba feliz de ser el anfitrión y poder recibir a cerca de 50 presidentes de todas partes del mundo. Estaba feliz de sentirse en el centro de un encuentro tan importante. Estaba feliz de poder discutir ya sea con Chirac o con Hugo Chávez.

Le gusta ser líder, pero no necesariamente de los mexicanos, sino de mandatarios, especialmente de los latinoamericanos. Por lo que se refiere a sus constantes viajes al extranjero, seguramente le ha de gustar que lo reciban en los aeropuertos con alfombra roja y con las bandas presidenciales. Le ha de gustar sentirse huésped especial y ver desde la ventana de su habitación cómo ondean las banderas mexicanas colocadas en las grandes avenidas. Le ha de gustar que lo reciban como rey. En este sentido, y lo digo con todo respeto, ha de ser muy aldeano, muy provinciano. Igualmente, a Vicente Fox, le ha de gustar escuchar otros argumentos y otros puntos de vista para poder confrontarlos con los suyos. Pero sobre todo le ha de gustar no encontrarse en México, en donde lo presionan tantos problemas y compromisos no resueltos. Aquí no le han de gustar las «grillas»; no las ha de entender, ni captar, ni saber cómo manejarlas. No le ha de gustar tener que enfrentarse con su partido que no le hace caso, y con los legisladores de las dos Cámaras, que tampoco le prestan mucha atención. Tal vez el presidente se sienta mucho más solo cuando se encuentra en México, que cuando está viajando. A lo mejor aquí tiene la impresión de que ya no impresiona a nadie y en el extranjero advierte que es mucho más apreciado como mandatario.

¡Qué frustrado se ha de haber sentido el presidente cuando el Senado le negó el permiso para viajar! Se debió de haber sentido como regañado, como reprendido, como incomprendido y como perro sin dueño. Antes creía que el único que podía dar permisos en este país era el presidente. Antes creía que el único que podía decidir qué era lo que había que hacer para el bien de los mexicanos era el presidente. Antes creía que al único que no se le podía negar nada en absoluto era al presidente. Ahora resulta que no es así. Que hay otros poderes tan o si no más importantes que el del primer mandatario. He allí algo ciertamente novedoso, con lo cual los mexicanos, incluyendo al presidente, tendremos que aprender a vivir. Sin embargo, entiendo al señor Presidente. Como a él, también me encanta viajar. Y como él, también me frustraba enormemente cuando mi padre me negaba los permisos que le pedía en la época en la que era adolescente.

Entonces don Enrique no me daba permiso de fumar, de tomar alcohol en las fiestas, de bailar de cachetito, de decir malas palabras, «¡no injuries!», me decía muy serio. Tampoco me daba permiso de usar faldas demasiado apretadas o rabonas, de pintarme los ojos de una forma exagerada, de irme a dormir a casa de mis amigas, de ponerme agua oxigenada en el pelo, de ver películas de Ninón Sevilla, de leer la novela *Lolita* de Nabokov, de hablarle a los muchachos a su casa, de subirme sin chaperona al coche de mis pretendientes, de aceptar regalos caros de mis novios, de ir a comer a La Escondida que se encuentra en la carretera hacia Toluca. Mi padre no me daba permiso de llegar más tarde de las 12 de la noche, de tener mi propia llave de la casa, de tener deudas, de salir con ciertos extranjeros, de ir al bar del hotel María Cristina, de cantar: «la última noche que pasé contigo…», de ir al cine París o Del Prado a ver películas francesas o suecas, de que me quedara despidiéndome largo rato en la puerta de la casa. «M'hijita, una mujer debe siempre darse a desear», me aconsejaba con ternura. Nunca me dio permiso de pasar un *weekend* en Acapulco, de jugar a las luchas con mis primos, siempre solía decir: «juego de manos es de villanos». También tenía prohibido por mi padre usar traje de baño de dos piezas, nadar en la alberca después de la puesta de sol. Y por supuesto ni soñar hacer un viaje a Estados Unidos o a Canadá sola, ni menos con mi grupo de amigas.

Recuerdo que solía decir con las lágrimas en los ojos: «Ay, papá, si a todas mis amigas les dan permiso cuando lo piden, por qué a mí no». A pesar de que le enumeraba argumentos y razones muy justificados, la contestación siempre era: «¡No!» Lo decía con tal contundencia. «Pero, papá, ¿por qué no me tienes confianza? ¿Por qué me tratas como si no supiera comportarme? ¿Por qué me sigues tratando como si fuera una niña? ¿Qué crees que voy a hacer tonterías? Ya sé que son mis tías las que te calentaron la cabeza contra de mí, porque mis primas me tienen envidia. No toleran el éxito que tengo cuando salgo. No soportan mi fama, ni mis éxitos.» Pero por más que le explicaba todo lo anterior, no había manera de que cediera.

Respecto a Vicente Fox, lo que más temo es que, además del Senado, la que tampoco le ha de dar tantos permisos es ¡Martita! Eso sí sería terrible, sería espantoso, sería patético, sería… *Oh my God, this is not happening*! Imagínense que son la esposa del primer mandatario. Y si de acuerdo a nuestras anteriores reflexiones suponemos que hay dos Vicentes (lo suponemos porque no está nada claro cuál de los dos nos gobierna según las actitudes que nos muestra), no podemos más que quedarnos perplejos ante las declaraciones que hizo la primera dama en febrero de 2002. ¿De cuál Chente nos estaba hablando? ¿Acaso según su apreciación de la realidad existe otro?, ¿un tercero?, ¿acaso no se dio cuenta Martita que a todas luces sus palabras resultaron huecas, por no decir vacías, por no decir irrelevantes, por no decir patéticas, por no decir cursis, por no decir...?

Pues dice Martita que su marido, Vicente Fox, no tiene defectos. Así lo dijo en Querétaro durante el Cuarto Foro Internacional sobre Negocios del Tec de Monterrey, en el cual participó como ponente. A pregunta expresa sobre cuál era el mayor defecto del presidente de la República, Martita aseguró de lo más seria: «No me lo van a creer, pero ninguno, yo lo admiro cada vez más y más». En la misma ponencia también se refirió a México al decir: «Nuestro país sigue requiriendo de una nueva hacienda pública *redistribuida*, tal y como la propuso el presidente Vicente Fox».

No hay duda que Martita fue sincera; que para ella su esposo, en efecto, es perfecto, por eso lo admira cada vez más y más. De allí que se vea tan feliz, tan encantada, tan plena, tan ilusionada, tan gratificada, tan complacida, tan contenta, tan vital, tan sonriente, tan a gusto, tan en las nubes y tan enamorada. ¡Qué suerte la de Martita! La verdad que se sacó la lotería. Como diría doña Lola, Martita está muy bien casada. Nadie en su sano juicio podría negar que Vicente Fox no haya sido un partidazo, por eso Martita se casó con él. Ha de ser muy bonito tener como marido a un hombre que no tenga defectos. Por lo tanto, quiero pensar que no ronca, que no se impacienta, que no es autoritario, que no es macho, ni mentiroso, ni gruñón, ni avaro, ni celoso, ni exigente, ni desapegado, ni burlón, ni desordenado, ni despilfarrador, ni borracho, parrandero y jugador. ¡Qué maravilla! De esos hombres ya no hay. ¡No existen! Ya se acabaron. De hecho, nunca han existido, más que en la persona del marido de Martita. ¡Qué envidia! Nunca imaginé que existiera un esposo sin defectos. ¿Qué se ha de sentir no tener ni un solo defecto? ¿Cómo se verá la vida sin defectos? Entonces Vicente Fox ¿es un santo? Para Martita sí, un santo perfecto. ¡Qué bonito!

A mí sí me gustaría que mi marido no tuviera defectos. He de estar mal de la cabeza, porque si lo quiero y admiro tanto es precisamente gracias a sus defectos. ¡Me encantan! Claro que también tiene muchas cualidades, pero tiene más defectos. Si no fuera Vicente Fox presidente de la República, me gustaría que se juntara con Enrique para que, con su ejemplo, se fuera deshaciendo poco a poco de todos sus defectos. ¡Qué raro por lo que se refiere a Fox, porque siempre he creído que los maridos mexicanos tienen muchos defectos! Constantemente decía doña Lola a sus hijas: «Ay niñas, mejor cásense con extranjeros, porque no hay nada peor que los maridos mexicanos». Entonces, ¿el presidente de la República es una excepción? Dice Martita que sí.

Pero ¿qué pensarán los 99 millones 999 mil mexicanos respecto de que si Fox tiene o no defectos? Habría que hacer un *referendum*, o bien, proponerle a López-Dóriga que en su noticiario formulara la siguiente pregunta: «¿Está usted de acuerdo con Martita de que el presidente Fox no tiene ningún defecto?» Sería muy interesante conocer los resultados. La verdad es que no dudo de la palabra de Martita. No tendría por qué mentirle a ese estudiante que osó hacerle la pregunta. Ésa es, efectivamente, la opinión de la primera dama. Sinceramente, creo que no podemos reprocharle que tenga ese concepto de su marido.

¡Cuántas mujeres no darían cualquier cosa con tal de tener a un esposo perfecto, o por lo menos tener la misma opinión de la señora Fox! El problema no radica en la percepción de Martita, muy su derecho. El meollo del problema reside en que se lo diga a Fox las 24 horas del día, o las que les permiten sus respectivas agendas. Lo más grave de este asunto tan delicado es que, seguramente, Vicente se lo cree. ¡He allí, a nuestra manera de ver, el mayor riesgo! Conociendo las aptitudes de gran comunicóloga de Martita, lo más probable es que ya convenció a su marido de que, como presidente, no tiene ningún defecto. De allí que se sienta per-fec-to, om-ni-po-ten-te, culto, leído, visionario, sensible, popular, carismático, profundo, estratega, politólogo, economista, creativo, ingenioso, demócrata, republicano, estadista, etcétera, etcétera, etcétera.

¿Por qué verá Martita a su marido sin ningún defecto? ¿Qué significará para ella el término defecto? ¿Cómo verá Vicente Fox a su esposa, también sin defectos? Cuando deje de ser presidente de la República, ¿seguirá viéndolo Marta sin defectos? ¿Verá así de perfecto Lilián de la Concha a Fox? ¿Qué diría doña Mercedes si le preguntáramos si su hijo tiene o no defectos? Si le hiciéramos la misma pregunta, ¿qué pensaría Ana Cristina Fox? ¿Qué nos diría al respecto Diego Fernández de Cevallos? ¿Y Cuauhtémoc Cárdenas? ¿Y los perredistas? ¿Y los priistas? ¿Y los agricultores? ¿Y Francisco Gil? ¿Y todos, todos, todos los mexicanos? ¿Y Vivianita Corcuera?

Concluyo diciendo que lo que padece Martita, sin lugar a dudas, es un amor ciego por su marido ¡per-fec-to!

Martita en la mira

Durante varias semanas me he tratado de responder qué tiene Martita que nos hace hablar y hablar sobre ella como nunca antes lo habíamos hecho de ninguna otra primera dama: ¿un proyecto consistente?, ¿un *look* envidiable? Una *savoir faire* nunca antes visto por ese *jet set* tan particular de la política, pero ya basta…¡No, ya no! Me niego a hablar. ¡No, ya no! Por favor ya no. Me niego a hablar o escribir más sobre Martita. ¡Basta! ¡Es un exceso! *Too much is too much!* ¡Es absurdo! ¡Como si no hubiera otros temas de qué ocuparme! ¡Como si, en estos momentos, no existieran en el país cosas mucho más graves a las cuales les urge una solución! ¿Por qué entonces insisto sobre un asunto que no hace más que distraer mi atención? ¿Para qué seguir bordando alrededor de la misma historia de amor que conozco aun mejor que la mía? ¡No, ya no! ¿Para qué seguir invirtiendo líneas, cuando podría estar compartiendo otros asuntos mucho más trascendentales? ¿Qué me sucede? ¿A qué se debe todo ese morbo? Es cierto que siempre me han interesado las vidas sentimentales de los demás, especialmente de las figuras públicas, pero ¿a ese grado?

Es que no puedo pensar en otra cosa: «¿Qué estará haciendo Martita? ¿Cuál habrá sido su agenda el día de hoy? ¿Cuántos autógrafos habrá firmado entre sus múltiples fans? ¿Cuántas secretarias particulares tendrá? ¿Qué traje se habrá puesto? ¿Irán a peinarla a su cabaña? ¿De qué hablará con su marido? ¿La consultará en todo? ¿Ya habrá leído su esposo todas las revistas en donde sale publicada su mujer? ¿Qué opinará? ¿Estará de acuerdo con la versión de la historia de su amor que narra Martita?»

Desde el día de su matrimonio, aquel 2 de julio, todo, todo quiero saber acerca de la primera dama. No ha habido un solo día en que no compre un semanario que no hable de ella. ¡Híjole, por eso he gastado tanto dinero! No obstante de estar carísimas, ya compré *Hola*, *Proceso*, *Actual*, *Quién*, *Vanidades* y las que, probablemente, se vayan acumulando estos últimos días y los que vendrán. ¿Por qué en este caso no he hecho lo que siempre hago, es decir, hojearlas, durante horas y horas, en Sanborns de Palmas? ¿Por qué diablos las compré? ¿Qué me pasa? Para colmo algunas hasta las adquirí, ¡dos veces! ¿Por qué? Porque no contenta con tenerlas en mi casa, todavía ¡las regalo! Sí. Por ejemplo *Vanidades* y *Quién* se las regalé a mi prima Isabel. *Actual*, con la entrevista, tristísima, de Lilián de la Concha, se la di a mi nuera. Y por último, *Hola* se la dejé al chofer de taxi del sitio Lomalinda para que se la llevara a su esposa.

Hacía mucho tiempo no me obsesionaba tanto con un asunto. Lo que más me preocupa es que se pueda tratar de una ¡nueva adicción! ¡Ya tengo tantas! Eso es lo que más me inquieta, que, con el tiempo, cada vez me vuelva más adicta a Martita. Por obtuso y excéntrico que parezca, basta con que abra cualquier sección del periódico para que de inmediato busque su nombre, su foto, alguna de sus declaraciones o bien un texto en donde se mencione a la primera dama.

Es más hasta leo ¡cinco diarios! con este afán. El otro día osé comprar incluso *La Prensa*: «A lo mejor la entrevistaron para

preguntarle qué opina de que perdió la Selección Mexicana con Colombia». En esa misma ocasión también me hice de *TV Notas*, *Somos*, *Eres*, *Buenhogar*, *Cosmopolitan*, *Kena*, *México Desconocido*, *Expansión*, *Impacto*, *Muy Interesante*, *Paula*, *Gente*, *GQ*, *Casas y Gente*, *Esquire*, *El Huevo*, y hasta la revista *El mundo del abogado*. «¿Qué tal si en ella le preguntan qué piensa respecto de las leyes de los divorcios?», me dije. El colmo de los colmos fue cuando le dije a la empleada que por favor también me agregara la revista *Saludable*. Me miró extrañada. Pero sus ojos miraron todavía más asombrados cuando, sin darme cuenta, le dije: «Sí, ésa también. Que tal si le hacen una entrevista acerca de la lucha contra la osteoporosis.» Esa vez me quedé sin un centavo por haber gastado casi ¡mil pesos! Además de esta compulsión, temo que venga acompañada con una más.

Me he fijado que últimamente no hojeo las revistas como solía hacerlo. Ahora lo hago con ansiedad. En esos momentos siento una angustia atroz. Tengo miedo. Temor de no encontrar ni una sola palabra alrededor de la primera dama. Si efectivamente, y a pesar de haber buscado con suma atención, no aparece ninguna referencia de la señora Fox, entonces mis manos comienzan a sudar. «No, no puede ser», me digo a la vez que con absoluta fruición paso una y otra vez las páginas. Pero afortunadamente y hasta ahora siempre he encontrado lo que buscaba. Miento. Ahora que recuerdo, una vez me topé con una revista en la cual no se publicó nada absolutamente nada acerca de Martita. Ay, cómo la odié. La deshojé. La destruí. Y terminé por echarla a la basura. Era *Mecánica Popular*. Lo más preocupante de todo es que esta nueva obsesión no para allí. ¡Qué va! La misma, exactamente la misma actitud tengo respecto a los noticiarios electrónicos. A partir de las 20 horas me instalo, todas las noches, frente a la tele. Sentadita en el borde de la cama y con el control entre las manos, paso las horas cambie y cambie de canal hasta que me topo con una noticia que se refiera a Martita. Entonces súbitamente me detengo y la escucho como si estuviera hipnotizada. Sí. Estoy consciente de que todo lo que aquí narro puede parecer excesivamente exagerado. Lo es.

Sin embargo, no lo puedo evitar. Algo que sin duda me consuela es pensar que ya hay mucha gente que padece esta adicción. Conversación que sostengo, ya sea con mi marido, con una hermana, con una amiga, con un colega, con una vecina, con un sobrino, con uno de mis hijos, con mis editores, con mi única cuñada, con la vendedora de una boutique, con el de la tintorería, con el arquitecto Margáin, con el señor de los marcos, o con alguien incluso totalmente ajeno a estos temas, conversación que trae a su círculo de intereses una charla sobre Martita. Otra de las manifestaciones que he advertido, y que para mí es más que sintomática alrededor de este nuevo mal, es el hecho de que me han vuelto a telefonear varios corresponsales extranjeros para preguntarme mi opinión respecto a las nuevas tareas de la primera dama. Es evidente que quieren saber qué pensamos las mujeres que trabajamos sobre si Martita debería tener más responsabilidades o, al contrario, si se debería limitar a atender el DIF, como lo han sugerido algunos legisladores del PRD.

Debo confesar y reconocer que estoy confusa sobre ello. Un día pienso que debería consagrarse a la pobreza, tal como lo ha sugerido en algunas de sus entrevistas. Otro, que debería sacar adelante su fundación Vamos México. Pero luego pienso que tal vez no cuenta con la suficiente experiencia, lo cual la haría incurrir, inevitablemente, en algunos errores, mismos que, más que revertírsele a ella, se le revertirían al señor Presidente.

«Por otro lado, es cierto que últimamente está abusando de un cierto protagonismo y esto tampoco es bueno, pero sin lugar a dudas es la primera dama más preparada que jamás hayamos tenido. Pero es precisamente este aspecto el que ahora nos ha inquietado más… Lo que pasa es que insiste en decir que no se reducirá a una sola institución y esto no sé si es bueno, o es malo», es lo que he comentado *grosso modo* con algunos periodistas extranjeros. ¿Qué tendrá Martita que se ha convertido en el *talk of the town* tanto en México como en el extranjero? ¿Qué tendrá la personalidad de Martita que provoca tanta polémica? ¿Qué tiene Martita que no tenían Paloma de la Madrid, Cecilia Occelli de Salinas, ni Nilda Patricia? ¿Qué tiene Martita que no tengan las esposas de los gobernadores, algunas de ellas muy participativas y cooperativas con su respectivo marido? ¿Qué tiene Martita que no tengan las otras panistas que se encuentran igualmente comprometidas con el proyecto del país? ¿Qué tiene Martita que no tengan las demás mujeres políticas? ¿Qué tiene? ¡Poder y ambición política! Pero ya no me volveré a ocupar del tema sino hasta que me cure de mi nueva y extraña adicción…

Pero la verdad, *out of comments*, es difícil dejar a un lado mi adicción cuando se escucha el rumor de la grilla por todo mi entorno. Parece como si las estuviera escuchando, a todas ellas. Como si se encontraran frente de mí, o muy cerquita. Las veo perfecto. Y lo que sucede es que las conozco tan bien, de allí que me resulte sumamente fácil evocarlas. Sin hipérbole podría asegurar que me las sé de memoria. He pasado tantos años observándolas, estudiándolas, escudriñándolas, analizándolas y escuchándolas que no puedo evitar un cierto sentimiento de empatía.

Más que juzgarlas, las comprendo. Más que censurarlas, las tolero. Más que rechazarlas, las frecuento. Algunas hasta siento que les tengo afecto. Sin embargo reconozco, no sin tristeza, que pertenecen a una categoría de mujeres que me parece lamentable, las «grillas». Se «grilla» a una persona importante, poderosa, rica, pero especialmente a aquella que está relacionada con la política. Por lo general se «grilla» a alguien de quien se pueda sacar algún provecho personal, aunque éste sea pequeño.

No hay duda que en México existe una verdadera cultura de la «grilla». Martita grilla, el presidente grilla, todos, consciente o inconscientemente, «grillamos». Unos más que otros, pero hay algo en nuestra idiosincrasia que nos hace reconocer justo el momento en que hay que «grillar». «Grillamos» para sobrevivir. «Grillamos» para sentirnos vivos. «Grillamos» para relacionarnos con los demás. «Grillamos» para no ser nada más «grillados». «Grillamos» para no perder la costumbre. «Grillamos» para que nos quieran. «Grillamos» para que nos vean. «Grillamos» para no estar solos. «Grillamos» porque nos sale tan natural que ni se nota. «Grillamos» porque, entre los mexicanos, es ciertamente un valor entendido. «Grillamos» porque nos divierte. Y «grillamos» porque de lo contrario no existimos. Y por esta misma razón, se escucha tanto sobre Martita en los medios de comunicación, en las charlas de sobremesa, en el club y a través de todo aquel que quiera sacar algún provecho con el asunto de la pareja presidencial.

Dicho lo anterior, los invito a escuchar la voz de unas típicas «grillas» que cuentan con la fortuna, el privilegio, la suerte excepcional y la gracia divina de estar cerca de nuestra primera dama, Marta Sahagún de Fox. Es cierto que las esposas de los presidentes de la República de nuestro país siempre, siempre,

siempre se han visto rodeadas por estas «grillas». No obstante, en lo que se refiere a la actual, pensamos que la grilla resulta ser todavía más incisiva, más obvia, más evidente, más de caricatura y mucho más aguerrida por la competencia que representa. Todo el mundo quiere «grillar» a la ex vocera de la Presidencia. ¿Por qué? Porque la ahora primera dama tiene un poder infinito. Porque tiene una influencia de-ter-mi-nan-te sobre su marido y sobre el gabinete en curso, incluyendo al extendido. Porque todos los reflectores están sobre ella. Porque desde que se convirtió en la señora de Fox no ha dejado de salir en toda la prensa internacional. Y porque, si la dejamos, puede llegar a ser la primera presidenta de México en 2006. De ahí que concluyamos que más que temerle al poder incondicional que puede llegar a acumular la mujer del mandatario en estos seis años, tememos a todas estas señoras «grillas» que contribuirán con su «grilla» a hacerle creer que con sólo su presencia puede transformar a México en un supuesto país de cuento de hadas.

Oigamos, pues a la primera dama como invitada especial en una comida de 30 señoras dignas representantes del mundo empresarial, del mundo *jet set*, del mundo artístico y del mundo político. Imaginémosla llegar impecablemente bien vestida, con su nuevo *look*, con los ojos particularmente brillantes y con una sonrisa de oreja a oreja. Imaginemos, pues, ese arribo espectacular a una casa muy elegante, de una zona residencial muy elegante, decorada de una forma muy elegante, y atendida por decenas de meseros, asimismo, muy elegantes.

—Ay, Martiiiiitaaaaaa, ¿cóóóómo estááááás? ¡Qué guuuusto! ¡Te ves guapíííísima! ¡Qué bárbara, cómo cambiaste! ¡Te ves jovencísima! ¿Qué te hiciste? Bueno, ya sabemos qué te hiciste…

—¡Ay, eres otra! Me encanta tu frente despejada. Se te ven

114

unos ojotes. Te lo juro que me recuerdan a los de Penélope Cruz o a los de Salma Hayek.

—Me fascina tu traje. No es de aquí, ¿verdad? ¿De veras te lo compraste aquíííí? ¡Está divino! Además, te ves súúúúper delgada. ¿Cóóóómo le haces con todas las comidas oficiales que tienes?

—Oye, Martita, ¿sabes qué me dijo el otro día m'hijita? ¡Que qué pantalones! Que eres de lo más valiente. Que con tu fuerza interior tú eres la única que nos puedes sacar de la crisis. Te lo juro que eres ¡su máximo! Todo el día habla de ti. Ayer justamente te echó tantas flores que hasta me puse celosa. Cuando le dije que iba a venir a la comida, me pidió que te trajera el libro que escribió Sari para que se lo dediques. Te lo juro que se lo ha leído tres veces. Yo también ya lo leí, pero nada más dos veces. Pero lo que es mi hija, se lo sabe casi de memoria. La verdad es que lo deberían de poner como libro de texto en todas las secundarias y en todas las prepas. Es que es un libro que habla de valores. Que habla de espiritualidad. Que habla del amor hacia los otros. En fin, de una filosofía que en estos momentos hace mucha falta entre los jóvenes. ¿Sabes que me encanta como pronuncias la 's'? Ay, se oye de lo más *zweet*.

—Martita, cuando te veo en la tele, pareces una niña traviesa. Pero eso sí, todas, todas sabemos que eres un ¡mujerón! Te lo juro que Vicente es otro. Él también ha cambiado muchísimo. Se ve mucho más suelto, más seguro de sí mismo; más centrado, como mucho más mandatario y mucho más presidente.

—La verdad que quéééé suerte la suya. ¿Dónde se iba a encontrar a una vocera, a una asistente, a una compañera, a una política, a una publirrelacionista, a una representante diplomática, a una comprometida con la niñez y la juventud, todo en una misma mujer? Ay Martiiiiiitaaaaa, *by the way*, ¿cómo te fue en

Bolivia? Ay no, perdón, en Paraguay. Ay no, qué tonta, ¿en dónde? ¡Ah, sí, en Perú o en Lima, o en España! Es lo mismo, ¿no? ¿Cuéntanos cómo te fue?

—Oye, leí que fuiste de las invitadas *top*. ¡De las más importantes! Ay, te lo juro que yo en tu lugar no hubiera sabido quéééé hacer. ¡Me hubiera hecho bolas! Hubiera confundido todos los nombres de los presidentes. ¡Tienes un aplomo, una sangre fría que ya hubiera querido Indira Gandhi! Como le dije a mi marido: «Con la presencia de Martiiiita, se puso el nombre de México muy en alto. ¡Qué bueno que Vicente le pidió que fuera en su lugar. Este gesto para nosotras las mujeres nos da muchísima seguridad». Sin exagerar, Martiiiita, tú nos estás reivindicando. Gracias a ti estamos consolidando nuestro lugar en esta sociedad machista.

—Ay, Martiiiiitaaaa, te lo juro que te adoro. Me encantas por sencilla, por generosa, por enamorada, por humana, por inteligente, por comprometida, por valiente, por aventada, por profesional, por fresca, por guapa y porque eres la esposa de Vicente. ¿Sabes qué le dije el otro día a mi marido? «Ay, me encantaría invitarlos a los dos a la casa. Contratar un trío para que les cante y nos cuenten la historia de su amor». ¿Tú crees, Martiiiita, que un día podrían venir los dos a la casa en un plan muy sencillo, así como muy *relax*, para que los conozcan mis hijos? Ay, dime que síííí, Martiiitaaa. ¡¡¡Te juro que sería el sueño de mi vida!!! Dime que sí le vas a preguntar a Vicente. ¿Te llamo? Perdón, ¿me pongo de acuerdo con tu secretaria? Okey.

—¿Te confieso algo, Martiiiiita linda? Me estoy poniendo por las noches antes de dormir, tal como lo hacía de jovencita, hueso de mamey quemado revuelto con aceite de ricino, para que me crezcan las pestañas como las tuyas. ¡Son mi máximo!

Ay, júramelo que no se lo vas a decir a nadie. Conste, ¿eh? ¡Te adoro, no cambies!

Pero a pesar de la saturación por el tema, como está tan en el aire la *Martomanía*, no resistí entrevistar a Olga Wornat cuando me la encontré. Ella es una periodista argentina, autora del *bestseller* que además de haber vendido en tan sólo 10 días 50 mil ejemplares, ha causado un revuelo político y social sin precedente en la historia de nuestro país por el libro *La Jefa*. Sabía que encontraría razones para confirmar lo que ya todos sabemos y a pesar de que ignoraba qué le preguntaría —puesto que se le ha preguntado todo—, gustosa (léase morbosa) acepté ir a escuchar todo lo que me pudiera decir sobre Martita.

A Olga no nada más le gusta mirar a los personajes en el poder, sino que le obsesiona saber, le obsesiona no lo que está detrás de ellos, sino lo que está en ellos y en lo que se han convertido precisamente por el poder. Cuando Olga habla, se diría que sabe perfectamente dónde está situada y cuál es su compromiso como periodista. Así como tiene muy claro cuál es su papel como periodista, también lo tiene respecto a la responsabilidad que esto representa. He de decir que después de hablar con ella pude darme cuenta que Olga es una mujer honesta, objetiva y seria. Lo más gracioso de la entrevista era que cada vez que citaba a la señora Marta de Fox, lo hacía ceceando. Gracias a su sentido histriónico, pude, a lo largo de nuestro encuentro, visualizar y escuchar perfectamente la persona de *La Jefa*.

Después de que la autora me aclaró a boca de jarro que Celaya, ciudad que visitó para hacer sus entrevistas, se había convertido en la Caldera del Diablo, por todos los rumores que corrían, en ese tiempo, a propósito de la relación sentimental entre Fox y Sahagún.

Le pregunté sorprendida:

—¿*Simultáneamente Vicente Fox estaba saliendo con Marta y llevaba un romance con Lilián de la Concha?*

—Exactamente.

—*Esto te lo dijeron las dos o te lo comentaron las amigas.*

—Esto me lo dijeron las dos. Está chequeado por ambas partes. Por eso Marta ejerce tanta violencia sobre Lilián, por esto consulta las videntes, pincha y prende fuego a sus fotografías. En Celaya comienzo a rastrear a las familias y me doy cuenta que Marta es envidiada porque es la que llegó, es la que salió de la nada y es la que conquistó a Fox. Entonces, todas esas mujeres de la supuesta sociedad que la despreciaban al principio ahora les intriga como mujer pública. Hasta Tony su peluquera, que no la quería atender, no le daba citas y la hacía esperar una o dos horas.

—¿*Crees que con los testimonios que aparecen en tu libro Marta se sintió traicionada?*

—Así es. Estoy segura de que ella en el fondo tiene una necesidad de que la quieran, de ser aceptada, de ser popular. Es como una especie de necesidad entre mística y psicológica. Necesita que todo el mundo la quiera. Las encuestas más recientes respecto a las posibles candidatas a la Presidencia le dan 76 por ciento de popularidad. Casi empata con López Obrador.

—¿*Tú crees que de alguna manera tuvo que ver el libro? Hay quienes afirman que todo esto es una estrategia.*

—También lo pensé. Pero mirá, algo que nunca me imaginé es que Marta iba a ir a televisión con una carta del General Tamayo. Ahí alguien mintió. Y yo no me la imaginé a ella yendo al programa *El Mañanero*, porque según lo que sé es que le aconsejaron que no fuera.

—*Quizá pensó capitalizar el escándalo que se estaba provocando con tu libro.*

—Es probable, por sus ansias de protagonismo. Parece como si todo hubiera estado planeado, pero de mi parte no fue así. No hubo nada planeado. Yo hice mi trabajo. Lo más curioso es que Marta me buscó a mí. Entre muchas preguntas que le hice le pregunté cuál era su libro de cabecera y ella me dijo: «No porque mi película favorita ez *Dr. Zhivago*.» Yo creo que ella ni debe saber que está basado en la gran novela de Borís Pasternak. Le pregunté: «¿Cuál es tu libro de cabecera?», ésa fue la última entrevista que tuve con ella y entonces comenzó a mencionar a varios pero entre ellos no había ningún autor mexicano, ni Fuentes, ni Paz. Empezó a dudar: «Bueno, ez que yo leo muchas cozaz a la vez, bueno ahora mi libro de cabecera, bueno…» Ella se refirió a todas las obras completas de Santa Teresa. Pero luego también me mencionó: «*México Secreto*, que no me puedo acordar del autor, el Dalai Lama, *La razón de mi vida* de Eva Perón. Lo tengo todo zubrayadito, todo zubrayado porque me ziento tan identificada con eza mujer que zubrayé cada coza de zu libro.» Cuando estábamos a punto de despedirnos: «Ay, el Apocalipziz». «¿Estas leyendo la Biblia?», le pregunté. «Ay no, la Biblia no. ¿No zabez que el Apocalipziz no ez el fin del mundo?» «Ah, ¿no?», le digo. «No ez el fin del mundo, hay pequeños apocalipziz diarioz. Claro, pequeños apocalipziz que uno tiene que zuperar y ezos también los tengo zubrayados.»

Ella es profundamente ignorante, éste es un aspecto que enseguida me interesó. Algo que me han criticado mucho es el hecho de que hubiera entrevistado a Tony su peluquera. Sin embargo ella me dijo muchas cosas.

«Bueno, contame —le dije—, cómo fue el traje de novia de

119

Marta, porque en todas partes leí que era Gucci pero no me parece el estilo de Gucci». Y entonces me dijo: «No, era Chanel el traje y ella se lo hizo traer de Nueva York». Pero tampoco me parecía Chanel. Entonces Tony me lo trajo para que lo viera. También me trajeron las perlas y los zapatos. «Llévazelo para que lo pueda dezcribir mejor.» Y yo feliz de la vida, tener el traje ahí y decía NY. Ella hizo traer el conjunto a través de una amiga y no le quedaba bien. Nada bien. Le quedaba con muchas hombreras, con las mangas largas.

—*De todo lo que viste en Los Pinos, ¿qué fue lo que te llamó más la atención? Porque hay que decir que te metiste en su intimidad.*

—Claro, pero yo no me metí con una pistola en la mano. ¿Qué periodista no quiere entrar y ver la cabaña donde vive la pareja presidencial? Lo que te puedo decir es que es muy austera, con muchas fotos de ella con Vicente, con su familia, muchas fotos de ellos por todas partes. Es como si todo el tiempo quisiera reafirmar que ellos se aman. Marta no era una persona que tuviera buen gusto. Ni en la ropa ni en nada. A veces está muy recargada, o se carga mucho de maquillaje, y se le corre la pintura o va súper vestida en la mañana con traje Chanel que es más de coctel. Lleva unas perlas y brillantes, muy recargada. Ella es muy cursi. Sin embargo, su imagen está mucho más pulida. Tiene una velocidad para aprender. Cuando la veía en la cabaña, siempre estaba muy ocupada, con los gobernadores, gente que entraba y salía. Además siempre decía: «Vizente, amor, amor», «Ven amor»... Así lo llama todo el tiempo. «¿Amor, nezezita algo?» Y me dijo en uno de esas visitas: «Tengo que bañarlo.» Esto no lo puse en el libro, pero ella me dijo que lo tuvo que bañar cuando estuvo en el hospital. Entonces le pregunté si no había una enfermera designada para bañarlo en la clínica. Y me dijo: «No, él zolamente quiere que yo lo bañe, zolamente entonces tengo que eztar todo el tiempo aquí con Vizente.»

Entonces yo le dije: «No te imagino encerrada en Los Pinos.» «Ay, no, pero ya voy a zalir. Ya voy a zalir, vaz a ver, ya voy a zalir, como que ya estoy ezperando el momento de zalir.» Fue el último día que la vi un poco demacrada. La vi como más delgada y demacrada.

—¿*Tú crees que Marta en el fondo está contenta con la venta de este libro?*

—En el fondo ella piensa lo que piensan muchos políticos, que es bueno que hablen mal o bien pero que hablen siempre, que no te olviden porque lo peor es el olvido. Ella, yo creo, quiere capitalizar esto…

—¿*A pesar del daño que le hace a su marido?*

—Yo creo que la que cuenta es ella. Cuando estuve con ella, el marido no existía nada, en nada existía. Incluso él todo el tiempo venía y le consultaba a ella con un papel en la mano: «¿Tú qué piensas?», le preguntaba. Yo ahí tratando de escuchar qué le consultaba, y ella le decía: «Y no hay que hazer ezto y…» O sea había una dependencia muy fuerte de él hacia ella, muy fuerte. Ella estaba todo el tiempo para todo. «¿Qué va a comer Vizente? Ay, dizcúlpame, tengo que atender ezta llamada. Ge-ne-raaaaaaaaaaal, Ge-ne-raaaaaaaaaaal Tamayo. ¿Dónde ezta el Prezidente y con quién eztá y a qué hora viene? Ay, ez que tengo que eztar pendiente de Vizente.» Todo, todo el tiempo está llamando al General del Estado Mayor para saber de su marido. Ella cree que Vicente Fox tiene determinadas dificultades, muchas limitaciones.

—¿*Cuáles serían estas limitaciones?*

121

—Yo creo que Fox no es el hombre que los mexicanos creían que era capaz de liderar el México del cambio, pero del cambio en serio, de esta transición. Vicente es un hombre que es lo que es. A tal punto que digamos, a mí, en muchos aspectos me hace recordar mucho a De la Rúa, muchísimo. Respecto a Ana Cristina, antes yo la sentía muy militante contra Marta y ahora la siento como muy borrada, muy fuera del escenario… Porque está muy cansada, muy harta de Marta. Lo que yo sé es que está muy cansada del poder, está harta de haber perdido a su padre, es decir, de la intimidad que tenía con él… Ella incluso tuvo la idea de irse a vivir a España. A ella lo único que le interesaba era irse.

—*¿Ana Cristina se ha distanciado de su padre debido a toda esta situación?*

—Se ha distanciado de su padre y te digo más… En una de las veces que yo estuve con Marta, yo le pregunté por la relación con Ana Cristina y Paulina, pero sobre todo con Ana Cristina, que era la que manifestaba más abiertamente su oposición hacia ella, y me dijo: «Ay, tú no zabes, tú no zabes cómo ha mejorado ahora, cómo ez la familia, todo ha cambiado zorprezivamente. Las chicaz vienen aquí, comemos juntoz, todo como una familia.» Yo dije bueno, qué bien que han podido reconstruir algo de la familia. Pero después, cuando me entrevisto con otras personas del otro lado de la familia, resulta que no era nada así; que al contrario, que Los Pinos era un incendio. Marta había sido expulsada de la casita. Un día que intentó entrar para comer con las niñas… Es muy curioso porque Marta como tal vez pensaba que sabía de esta historia o que alguien me la iba a contar, ella se adelantó. Es muy astuta… Ella se adelanta y me dice: «Vizente tiene todaz las zemanas una reunión con sus hijaz y yo no me meto, yo a él no le prohíbo nada.»

Después me pregunté por qué me había remarcado tanto esto. «Yo no le prohíbo nada a Vicente, haze zu vida con zuz hijoz y yo no me meto.» Después me entero que sí había sido expulsada. Las chicas tenían los jueves un almuerzo privado con su papá para hablar de sus cosas, de cómo está la mamá, de su vida ¿no? Y bueno, un día Marta abre la puerta y entra… y me describieron cómo fue esa escena: «¡Hola!, qué rico huele…», dijo. Y todos los hijos le dijeron con la mirada: «No estás invitada, no te invitamos, o sea, éste es nuestro espacio, éste es nuestro papá.» Pero lo más curioso era lo que le estaba pasando a Fox. Con los ojos fijos en el plato, sin poder decir nada de nada, ni a sus hijas ni a su esposa, como si fuera un hombre que se siente atrapado por la mano invisible de Marta, no abrió la boca, ni para apoyar a los hijos, ni para apoyarla.

Otra que no escapó al revuelo que dejaba la estela de Martita fue Sofía. Incluso organizó una cena con sus más íntimos amigos. El objetivo de este encuentro tan urgente fue hablar y analizar los libros sobre Martita. «No me vayas a fallar porque vamos a hablar del *reality show* del que todo mundo está hablando. No se te vaya a olvidar tu libro. ¿Lo subrayaste? ¡Ah, qué bueno! Nos vemos en punto de las nueve. ¡Chau!»

Por parte de Sofía, ya había hecho la tarea. Muchísimos fragmentos del texto de su ejemplar, todo sudado y hojeado, estaban subrayados con un grueso plumón; unos en amarillo, otros en verde y los que consideraba más significativos en rosa fosforescente. Una vez que cotejó con Carmina la cocinera que la carnicería ya había mandado los tres kilos de filete y que La Europea ya había enviado los vinos, revisó una vez más lo marcado en *La Jefa*. Quería lucirse, quería demostrarle a los del grupo que además de ser una lectora rigurosa, era sumamente perspicaz. Se puso sus anteojos. Abrió su libro, emitió un suspiro y con todo cuidado leyó en la página 77 acerca de la relación platónica o no que *La Jefa* sostuvo, cuando estaba casada y era la vocera de Guanajuato, con el publicista Alejandro Torres. Cada mañana, Alejandro —que estaba casado con Maribel y tenía hijos con esta mujer— le traía a La Jefa chocolates de Sanborns, sus preferidos. Ella se apoyaba en su escritorio, mordía la golosina y le convidaba de ella a Alejandro una y otra vez, hasta que se devoraban el regalo ante la vista de todos.

Sofía se la imaginaba perfectamente bien, con sus pestañotas y su mirada tierna. Enseguida pasó a la página 82 y releyó: «Estoy muy enamorada de Vicente, es el hombre de mi vida, ¿cómo hago para que termine definitivamente con Lilián? —le confió a su mejor amiga.» Líneas abajo la lectora observó lo subrayado con rosa, declaración hecha por Manuel Bribiesca: «Yo sabía que me ponía los cuernos, me daba cuenta. Estaba extraña, llegaba muy tarde a la casa y se iba de madrugada. [...] Ella dice que yo era violento y que le pegaba. No es verdad, miente, difama. ¿Por qué no hizo una denuncia pública sobre mis golpes? [...] No, ella misma se provocaba los golpes, porque tenía problemas de circulación, y después decía que era yo. Y lo peor es que la gente le creía y le sigue creyendo...» De nuevo Sofía suspiró y se acordó de su propia mala circulación. Siguió leyendo en la página 120, respecto de la supuesta enfermera que La Jefa había contratado para Rodri, el último hijo de Vicente, lo que aparecía marcado en verde: «¿Tú vas al cuarto cuando ellos están juntos? Oye, papá, no es una maestra, sino una enfermera. Ella tiene 23 años y Rodrigo 15 —remató Lilián ante el mutismo del hombre de su vida, y añadió, nuevamente alterada: Soluciona este problema y sácala de ahí porque te juro que te armo un escándalo.»

En relación con lo anterior, la intuición de Sofía le decía que respecto a esta joven ni era una maestra, ni una enfermera: lo más probable es que se trata de una *call girl*... El morbo de Sofía no tenía límites, ¿qué fue lo que subrayó en rosa fucsia en la página 197? Aunque Lilián anhelaba regresar con Fox y Ana Cristina empezaba a verse a sí misma como la primera dama del país, sólo Marta Sahagún, La Jefa, tendría la astucia suficiente para atrapar al inatrapable. En efecto, como afirmó en su momento José Luis González: «Nadie puede competir con ocho horas de sábanas».

Involucrada como estaba en este culebrón, Sofía sabía que González era el Bigotón, amigo de Fox desde la época en que ambos trabajaban en la Coca-Cola. En la página 211, además de haberla marcado casi en su totalidad, había intercalado un papelito escrito con su puño y letra que decía: *Este dato es uno de los más importantes. Comentarlo...*

¿Por qué lo consideraba tan fundamental? Porque para ella en este párrafo se describía perfectamente bien tanto el perfil psicológico de Fox, como el de La Jefa, había entonces que interpretarlo hasta sus últimas consecuencias: «Pero [La Jefa] habló con sus amigas [de la posibilidad de rentar un pequeño departamento] y tomó conciencia de que no era lo más apropiado para ganar la batalla. Tenía que avanzar como un tanque, sin importar lo que dijeran. Ya habían hablado lo suficiente y aguantó sin inmutarse, como cuando elaboró aquella carta que hablaba de ella y de todo lo que había abandonado por él; de sus virtudes, sus sacrificios y su peso providencial en la campaña. Al cabo, decía amenazante la misiva, si Vicente Fox no resolvía el romance a favor de ella, la carta terminaría en los medios nacionales. Y Marta María Sahagún sabía muy bien que Fox detestaba los conflictos y los escándalos. Para que el documento tuviera valor, lo hizo firmar por las treinta mujeres más relevantes de Celaya, las mismas que escuchaban sus quejidos, sus intrigas y sus penas de amor. Su amiga Chilo Nieto se la entregó personalmente a Vicente, una noche que éste llegó a Guanajuato. Desde su celular monitoreó la situación y la reacción de su amante.» (¡Chácatelas!, exclamó Sofía, no obstante de que se sabía casi de memoria la cita). Cuentan que él la leyó y se quedó mudo. Y con la rapidez que la caracteriza y el impulso que gobierna su vida, tomó sus pocas pertenencias y se instaló en Los Pinos. O en Ciudad Sahagún. De ahí nadie se iba a atrever a sacarla. Sofía se quedó muy pensativa y se preguntó: ¿Ni Ana Cristina? ¿Ni el Bigotón? ¿Ni Diego Fernández de Cevallos? No, nadie puede contra La Jefa.

La primera en llegar fue Ana Paula y su marido: «Estamos indignados. ¡Pobre país! ¿Hasta dónde nos va a llevar este ridículo escándalo?», se preguntó Alberto con una voz muy alarmada. «Es que es fea por dentro. Muy fea. Es capaz de todo», agregó Ana Paula.

Junto con la anfitriona, los invitados se fueron instalando en la sala, abrumados por el tema. «Pobre de Fox, con este libro su imagen queda totalmente diluida y disminuida. Si yo fuera el marido de esta señora y además presidente, la mandaría muy, pero muy lejos. No es posible, con los problemas que tenemos, que se hable de nuestro país en términos de esa señora», apuntó Alberto. «Ay, cómo no luchó más Lilián para recuperar a su marido. Nos hubiéramos evitado tantos problemas», acotó Sofía con una actitud muy juiciosa. En ese momento hicieron su entrada Inés y su marido. Sin necesidad de enterarse en qué punto se encontraba la conversación, al unísono exclamaron:

«¡Qué nivel! ¡Qué desperdicio de energía! ¡De tercer mundo pasamos al quinto!» Snob como era Inés, no podía dejar de recurrir a su frase de siempre: «¡Qué poca clase!» Mientras tanto su esposo dijo con cierta ironía: «Con razón Fox recomienda a la gente que no lea...»

Sofía iba y venía con la bebida. En esa ocasión no había contratado un mesero para poder hablar con más libertad. De pronto sonó de nuevo el timbre. Era Paulina con el libro en la mano, con muchas banderitas de todos colores pegadas en las páginas. Con los brazos extendidos lo mostró y canturreó haciéndose la graciosa: «¡Ta, ta, ta, taaaaaan! He aquí la neta del planeta...» Súbitamente hizo su aparición Luis Carlos. De todos era el más juicioso y el más enterado sobre política. Una vez que se intercambiaron más juicios, sarcasmos y comentarios sobre el mismo tema, el último invitado apuntó: «Por eso se escriben libros así, para gente como ustedes. Por eso estamos como estamos y somos como somos. ¿Para esto me invitaste, Sofía? ¡Qué lamentable! ¿Se dan cuenta que el país está de por medio? ¿Se dan cuenta el daño que esto le hace al presidente y, por ende, a todos los mexicanos? Lo peor de todo es que esto no hará más que fortalecer a esa señora, ávida de publicidad y protagonismo. Allí los dejo con su morbo y sus estupideces...» Luis Carlos salió de la casa de Sofía, harto, pero sobre todo muy deprimido.

Y entre los dimes y diretes públicos de los políticos, después de aquella cena a mí me comenzaron a ocurrir otros más privados con la obsesión de Martita. La señora Luz María L. de Fox me envió una carta, a propósito de un texto en el que imaginaba a la familia Fox festejando las fiestas de Navidad en una perfecta armonía (¡cuán errada estaba!).

127

Me decía muy amable: «Permítame presentarme, pues a usted la conozco a través de sus escritos. Yo soy Lucha, cuñada de Vicente Fox. Hace 40 años les conocí a él y a José, su hermano. Hoy estoy felizmente casada con José; tengo 37 años de matrimonio, tres hijos, siete nietos y formo parte de una amorosa familia», me escribió con toda llaneza.

Después de esta introducción tan amable y cálida, líneas abajo me reprochó mi forma de imaginar los sucesos en las vidas de las personas. «No sólo las públicas, se atreve usted a soñar la intimidad de otros.» Por lo que se refiere a mi acalorada imaginación, con el paso del tiempo, y de lo que sí se sabe, es que en realidad ya no es un ejercicio de mi imaginación la intimidad de la familia Fox-Sahagún, pues está descrita casi al detalle en el libro *La Jefa*, cuya protagonista, la concuña de la señora Luz, accedió a ser entrevistada para hablar de su intimidad. Y después de leer algunos capítulos, comprobé que mi fantasía se había quedado chiquita.

Asimismo, la señora Luz me refería el profundo conocimiento que tiene de la trayectoria política de su cuñado, Vicente Fox, a lo largo de 15 años. Es evidente que doña Luz lo admira y le tiene un enorme afecto. Lo celebro y no me sorprende. Como ser humano Vicente Fox tiene aspectos entrañables. Sin embargo, me reclamó: «Con gran destreza usted construye y destruye, con ligereza da y quita, aun sin conocer a la persona». Es cierto que el periodismo se puede tomar libertades literarias, gracias a las cuales puedo expresarme con más variedad.

Pero esa crítica me dejó *encabronated*, como dice Sofía, y se queda corta cuando dirijo los ojos a su concuña incómoda, pues esa misma observación le va de mil maravillas, vamos, como anillo al dedo. Nadie como ella ha demostrado una destreza inigualable y una creatividad insuperable para hacerse publicidad. Con una destreza igualmente admirable recauda fondos para Vamos México, utiliza los medios de comunicación, derrama lágrimas, dialoga con Brozo el payaso y tiene el don de la ubicuidad. Si voy al kiosco de periódicos, la veo en varias poses. Si voy al aeropuerto, me guiña el ojo y me saluda con su manita, 70 mil veces. Si voy al mercado, me envuelven mis flores en un periódico en donde aparece hablando con un micrófono en la mano. Si prendo la televisión, allí está. Y si oigo el radio, allí está. Si hablo con mis amigas, allí está. Y si me voy a dormir se me cae el libro de Marta de las manos. A veces temo salir y que, como ocurre en la película de Woody Allen, *Historias de Nueva York*, una enorme cara de Marta se me aparezca en el cielo. (*Oh, my God!*)

Luz María me decía que tenía el derecho, todo el derecho del mundo, de hablar sobre mis gobernantes, de criticarlos, de opinar y de sugerir —qué comprensiva, ¿no?—, pero enseguida me aconsejaba: «Me gustaría que también tuviera usted respeto. La nación es y ha sido siempre asunto prioritario para Vicente. Para el presidente nunca ningún asunto familiar ha influido en una agenda de Estado». Pero en realidad todo parece indicar que no ha sido así. Con la actitud que ha venido mostrando su cuñado, es decir, el señor Presidente, se diría que su prioridad no es la nación, sino la que nos proyecta su actitud mandilona, como dice mi marchante del pollo. Dentro de los paradigmas que ha modificado la nueva Presidencia, ha sido el de mostrar su ámbito familiar y participarlo a la ciudadanía, no esconderlo, reafirmando así los valores de la primera célula social.

¡Qué manera de mostrar, de mostrar y de mostrar! Ay, que ya Martita no nos muestre tanta intimidad. Una intimidad como la de la familia Fox-Sahagún, mejor ¡ocultarla! Que su concuña ya no se refiera a ella. Ya no queremos saber cuán enamorada está del presidente. Ya no nos interesa ver qué tanto se quieren, ni qué tanto quiere a sus hijos, ni a los de Fox. Ya no los queremos ver de la «manita» y menos cuando el presidente pasa revista como invitado especial en un país extranjero. Exponer tanta intimidad no nada más es de mal gusto, sino que cansa, harta y aburre.

Pero el *affaire* sobre Marta de Fox no quedaba en unas recomendaciones y amonestaciones de su concuña, también festejaba conmigo la libertad de la que gozo como parte de la opinión pública: «Celebro que en esta nueva administración, usted disfrute de la libertad de expresión irrestricta tanto con su pluma como en los programas vía electrónica». Y en realidad no era molestia por mi libertad de expresión, que afortunadamente, las mexicanas y los mexicanos la practicamos desde hace unos años, sino por señalar el comportamiento tan frívolo y provinciano que insiste en tener la pareja presidencial, o también el desproporcionado protagonismo de su concuña. No hay quién la pare. ¿Ya compró usted el número más reciente de la revista *Hola*? ¿La vio usted con Brozo? ¿Vio el programa del canal 13 «Un día con Marta Fox»? ¿Ya leyó los libros? ¿Ya leyó *La guía de padres*? ¿Ya leyó lo que publicó el *Financial Times* sobre la Baronesa Rawlings y Vamos México? ¿Ya la vio en *La Revista* en plena comida casi de la manita con Elba Esther?

Lo único que suplico ante tales llamadas de atención es que se intente ser objetivo con relación al tema de la primera dama. A la seño Luz mejor le diría que aconsejara a su cuñado para que calme a su mujer. Aconséjelo y dígale que no se deje manipular por ella. Él es el más afectado, el que sufre más las consecuencias y me temo que es el que está más cegado sobre su protagonismo. Si usted se saliera un poco de su grupo familiar y social, evitando escuchar a las lambisconas, barberas y cortesanas, se daría cuenta que gran parte de la ciudadanía está muy confusa, pero sobre todo harta de Marta.

Sé que hay desplegados en la prensa que la apoyan, que hay muchísimas señoras que la defienden, que su popularidad todavía está muy fuerte y que incluso hay mucha gente que se felicita de tener a una primera dama activa y participativa. Todo eso lo sé. Pero también estoy consciente que nadie votó por ella.

Si yo fuera parte de su familia —esto es una libertad literaria, *for God's sake*— lo único que le podría aconsejar a la zeñora Fox serían dos palabras. Y dos palabras que la familia Fox, estoy segura, agradecería muchísimo. Estas dos palabras son BAJO PERFIL. Como le aconsejaron los gringos a Hillary Clinton en un momento en que se desubicó: *LOW PROFILE*. Le recordaría: calladita se ve más bonita. Le recordaría que aunque sea más bajita que el presidente, le está haciendo mucha sombra. Y le recordaría que todos estos escándalos nada más nos distraen de los verdaderos problemas del país.

Sin embargo, para mi asombro, en *La Jefa* descubrí a un personaje entrañable, que es ni más ni menos el jefe de La Jefa. Se llama Alberto Sahagún de la Parra. El doctor Sahagún de la Parra cuenta con 84 años y no tiene pelos en la lengua. Don Alberto es un hombre inteligente, liberal, anticlerical, que está por el uso del condón, el control de la natalidad y que además de todo no está contra el aborto. «No sé qué quiere la Iglesia, ¿qué la gente se muera de sida?, ¿qué mueran más mujeres por abortos clandestinos o que nazcan niños producto de violaciones o incesto? Y eso que soy católico practicante, pero no tengo obediencia ciega; lo que dice y piensa el Papa no me gusta», le dijo a Wornat.

El doctor Sahagún publicó dos obras, en los años setenta, mismas que provocaron un gran revuelo en medio de esa sociedad tan cerrada. En la que se refiere a la integración sexual humana, escribió: «Si pudiéramos hablar de inmoralidad en la anticoncepción, el ritmo sería, como acto humano, el más inmoral de los procedimientos; primero por su ineficacia, segundo porque llena de temor y tensiones a los cónyuges y finalmente porque interfiere el desenvolvimiento de la sexualidad de la pareja. El temor y el amor no pueden convivir…».

El segundo libro se titula *Reflexiones para superar las crisis de familia,* y acaba de terminar su más reciente obra, la cual trata de las complejidades de la medicina de 1918 a 1940. Para valorar y entender aún más la personalidad del doctor Sahagún, es importante lo que descubrió Olga Wornat a propósito de su familia, de la cual podríamos decir que es casi, casi santa porque don Alberto tiene cuatro hermanos sacerdotes: sólo que Julio Sahagún de la Parra, jesuita, abandonó la sotana y se casó con una madre superiora. Ahora vive en México. (Tenemos entendido que esa madre superiora era monja del colegio Francés de San Cosme. ¿Será sor Elena de la Cruz mi maestra de sexto de primaria? Si es así, *chapeau!*)

Algo que apreciamos mucho de don Alberto es su sinceridad al hablar, para mostrar y compartir las bases morales y la intimidad de tan hermosa familia. Con toda llaneza le dijo a la periodista: «Me costó muchos años quitarme el peso de la religión; una vez que lo hice, me siento libre, vivir con ello es muy nocivo para cualquier ser humano, para cualquier pareja.» ¡Qué bueno que don Alberto se pudo, finalmente, liberar de todo ese peso que ha de haber sentido a lo largo de su infancia y adolescencia! Liberado o no liberado, él de todas maneras se va a ir derechito al cielo ya que como dice: «Fueron tantos los rezos que recibí de mi infancia, que ya completé la cuota...»

En el año de 1943, recibió dos muy malas noticias: una, que don Prisciliano Sahagún Castellanos, su padre, también médico, había muerto; y dos, que cuatro de sus hermanos habían entrado al seminario. Curiosamente los otros cuatro estudiarían asimismo medicina. De ahí que don Alberto se hubiera visto en la necesidad de mudarse a Zamora, para ocuparse de su madre. Pero Dios lo premió y conoció a una muchacha de 16 años lindísima, Ana Teresa Jiménez. Además de linda, era rica, ya que su padre era dueño de la agencia de autos Ford, varios molinos y haciendas. La señorita Jiménez se enamoró de él y él de ella, por lo tanto se casaron y se fueron de luna de miel a Europa, y allá se quedaron todo un mes. Cuando regresaron a Zamora, rentaron una casa preciosa llena de sol, con un jardín lleno de flores que daba a las habitaciones. En una de ellas, don Alberto hizo su consultorio, que da justo en la calle de Morelos 85. Andando el tiempo, fundó el Hospital San José.

Sincerote como es don Alberto, le dijo a la periodista argentina lo que pensaba de su ex yerno, Manuel Bribiesca, es decir, del primer marido de La Jefa: «Manuel era brusco y vulgar, igual a su padre. En el hospital generaba enormes problemas, ninguna enfermera quería trabajar con él, por sus maltratos, pero era muy buen profesional. Lo que pasaba es que de golpe se ponía tan violento, explotaba, que daba miedo... Y usted sabe, esa patología violenta se hereda. Ojalá que mis nietos no la hayan heredado...»

Sobre la anulación del primer matrimonio de La Jefa, opina

su jefe: «Le aclaré que si le daban la anulación, sería por acomodo, porque es la esposa del presidente, y que eso no le haría bien al presidente y al país, que no era un buen ejemplo. Pero ella no me respondió nada y la cosa sigue. Marta es así, muy especial y muy tenaz».

No hay duda que el doctor Sahagún, quien por cierto se acaba de casar por segunda vez, aparte de ser un hombre de bien, es sumamente lúcido y visionario. De La Jefa dice: «Creo que mi hija influye mucho sobre Vicente, ¿no? No sé, lo digo por lo que veo: cuando están juntos él es un hombre muy parco y ella es muy activa, le gusta mandar, le gusta la política».

De todos, todos los personajes del libro, incluyendo a La Jefa, el que nos revela lados insólitos es don Alberto Sahagún de la Parra. ¿De dónde habrá sacado ideas tan poco liberales Martita? ¿Bajo qué parámetros podremos medir sus acciones? ¿Seguirá estando en boca de todos? ¿Hará más escándalos para seguir bajo los reflectores políticos y sociales del país? ¿Será totalmente sincera como su padre, o nada más nos está dando atole con el dedo? Habrá que ver. Pobre México, tan lejos de Dios y tan cerca del PAN…

El *look* de Martita

No hay duda, pensé: entre más grande es el poder, es mayor el peligro del abuso, como bien decía Edmund Burke, pero además, más grande es el guardarropa. En el caso de nuestra primera dama, esto es indudable. Es obvio que el vestido ha jugado desde siempre un importantísimo papel en el proceso civilizatorio del ser humano. Y no nada más como emblema de las diferentes actividades humanas —el monje, el juez, el guerrero, el payaso, la bailarina, la reina…— sino también como símbolo inequívoco de poder. Por supuesto que todos echamos mano de las herramientas significativas de todo aquello que portamos, todos y todas nos vestimos para la ocasión y escogemos detenidamente el accesorio que habrá de hablar por nosotros frente a aquellos que veremos en el desayuno, en el coctel o en la cena elegante. Si lo pensamos bien, el traje y las pulseras dicen por nosotros inmediatamente. Dicen si tenemos buen o mal gusto, si somos serios o deschongados, si tenemos dinero, si somos bohemios o burgueses, y claro si llevamos la corona puesta, pues dicen que somos reinas.

Es tanta la importancia del vestido como ventrílocuo de nuestra esencia, que ha terminado por sustituir nuestra personalidad. Bueno, tal vez estoy exagerando, pero es un hecho que las figuras públicas prestan tanta importancia a su imagen que a veces se les olvida el discurso de las ideas. Pero ésa es otra cuestión. Todo esto me viene a la mente porque mi amiga Sofía tuvo una experiencia terrible con su faceta de ventrílocuo, con su área de emblemas, en fin, con su clóset. Y todo por culpa de Martita.

No acababa de terminar la última cucharada de su All-Bran cuando súbitamente Sofía se incorporó de su silla y subió a toda velocidad las escaleras. Al entrar a su guardarropa, todavía con la respiración entrecortada, se dispuso a revisarlo. ¡Qué depresión!, se decía conforme iba recorriendo ganchos y más ganchos con blusas, sacos, faldas, pantalones y vestidos. Más que su ropa, un poco ya pasadita de moda, le deprimían las etiquetas de cada una de las prendas: Julio, Zara, Anne Klein, Basel, Gap, Banana Republic, Mango, DKNY, Carlo Demichelis, Escorpión y Adolfo Domínguez. ¿Qué le pasaba a Sofía? ¿Por qué actuaba de ese modo tan extraño? Hacía unos minutos había leído el reportaje del guardarropa de Martita: con la reina Sofía de España comparte el encanto por los vestidos y conjuntos de la exclusiva casa alemana Escada. Con la princesa Carolina de Mónaco y su majestad Rania de Jordania, la debilidad por los trajes y accesorios de la selecta casa Chanel. En la primavera del año pasado, la princesa Alexia de Grecia usó, para el bautizo de su primogénita Arrieta, un traje con estampado de flores rojas, Escada, de poco más de 3 mil dólares según el periódico *El Universal* del 29 de septiembre de 2003.

Sí, era la primera vez que Sofía envidiaba a la primera dama. Nunca le llegó a envidiar ni que estuviera casada con el presidente, ni que viviera en una cabañita en Los Pinos, ni que tuviera un rancho donde pasar los fines de semana en amena convivencia familiar, ni que viajara por todo el mundo departiendo con los poderosos, ni que fuera amiga de las esposas de los em-

presarios más importantes del país, ni que fuera dueña de una fundación que recibe mucho dinero, ni que tuviera guaruras, ni siquiera de sus grandes pestañas había llegado a sentir Sofía envidia de la señora Fox. Pero de ese guardarropa, que incluye vestidos idénticos a los de Carolina de Mónaco y de otras personajas de la realeza que aparecen fotografiadas en la revista *Hola*, eso ya era *too much* para ella. Estaba tan enojada ante la pobreza y mediocridad de su vestuario, que tomó algunas prendas y las arrojó al suelo. «¿Cómo no me había yo dado cuenta de lo chafa que me visto? Yo que me creía tan bien vestida y tan a la moda, en realidad estoy totalmente *out*. Ni siquiera soy To-tal-men-te Palacio... ¡Soy to-tal-men-te choza, to-tal-men-te cueva, to-tal-mente jacal, to-tal-men-te tienda de campaña, to-tal-men-te...» La pobre de Sofía no encontraba adjetivos para desahogar su furia. Estaba completamente fuera de sí. Tenía ganas de llorar. De ahí que el nudo en la garganta que se le había formado se hubiera revuelto con la bola de su cereal con yogurt. Tenía ganas de vomitar.

Empezó a odiar su posición, su falta de dinero, por primera vez sintió que su marido no le daba lo suficiente para su ropa. Pero de pronto recordó que en el reportaje de *Hola* se hablaba también de los trajes de Ermenegildo Zegna que usa el presidente y se consoló diciendo: «Ay, pobre de mi marido, él tampoco tiene trajes de marca. Su blazer, tacto cachemir, que se compró en una barata de High Life ya está muy viejito. También su único traje azul marino que usa para los compromisos ya se ve medio *demodé*. El saco tiene una solapota, además tiene demasiadas hombreras. No le puedo exigir en estos momentos ni vestidos de Escada y menos de Chanel. Sería criminal de mi parte». A pesar de su espíritu solidario hacia su esposo, no pudo evitar en esos momentos que la invadiera un sentimiento que era más fuerte que ella, el del resentimiento. «¿Por qué carajos nunca me ha comprado una bolsa Chanel o una Hermés, aunque sea el modelo fabricado en tela? ¿Por qué diablos nunca me ha comprado el dije en oro *Open Heart* de Tiffany como el que Fox le regaló en su aniversario a Martita? ¿Por qué nunca de los nuncas me ha regalado un joya, aunque sea una chiquitita de Berger? ¿Qué no le dará pena tener una esposa tan pobremente vestida?» Ya no sabía qué pensar. En un dos por tres su pequeño mundo se le había venido encima. Nunca como en esos momentos se sintió una doña nadie, una pobretona y una más del montón. Pero cuando su depresión llegó a su clímax fue cuando se le ocurrió abrir su joyerito. Nunca lo hubiera hecho. Dios mío, cuántas porquerías, cuántas chácharas y cuánta bisutería barata comprada en mercados de Taxco y la Zona Rosa: cadenas (oxidadas) de plata de ley .625, collares de cuentas de semillas de la plaza de Coyoacán, otros de piedras semipreciosas adquiridos en el Bazar del Sábado, prendedores de hueso imitación marfil, pulseras de pelo de elefante, algunas de plata de Tane de la colección de 1970 y para colmo se topó con un collarcito de perlas Richelieu todo amarillento con el hilo reventado. Y entre más comprobaba su miseria material, más envidiaba a Martita. Ya para esos momentos, Sofía se negó rotundamente a revisar sus vestidos de noche, sus abrigos para salir y sus mascadas. Sabía que no encontraría ni zorros, ni visones, ni Martas…

Antes de irse a dormir, de una forma masoquista, quiso leer otra vez el reportaje: «Los gustos de Martita llegan a ser tan parecidos a los de Carolina de Mónaco, que a la casa Chanel le compró el mismo conjunto que se le ha visto a la princesa, de *tweed* en tonos dorados y beige, con una fina cadena de metal cocida al forro de seda del saco, para darle a la tela la caída perfecta, cuyo precio fue de 3 600 dólares, según el dato que fue proporcionado en la propia *boutique*.» Cerró los ojos. Tragó saliva y de nuevo volvió a sentir la mordida de la envidia. Esa noche no durmió.

Lo que nunca se imaginó Sofía era que al otro día se publicaría en el mismo diario la aclaración de la primera dama, respecto a los gastos de su vestuario. En primer lugar dejaba en claro que, en dos años y medio, había gastado únicamente 200 mil pesos de la partida presupuestal 3825 que el Congreso le autoriza a la Presidencia de la República para ropa y accesorios y no 898 mil pesos, según datos oficiales de la Presidencia, lo cual significaría un gasto mensual, nada más en ropa, de 37 mil pesos. Igualmente aclaró que sus joyas, muchas de ellas, eran regalos de Vicente Fox y que otras eran regalos de quienes «tienen derecho a regalarme: mi padre, mis hijos y mis amigos».

Con el alma doblemente mordisqueada, al terminar de leer lo anterior, pensó: «¿Por qué mis cuates nunca me regalan nada? ¿Por qué son tan codos? ¿No que me quieren mucho? Ja ja ja. ¡Hipócritas, egoístas!» Sofía seguía furiosa, pero sobre todo en-vi-dio-sa. Ni la declaración de Martita, donde afirma que «también tengo ropa que vale 5 y 10 mil pesos», lograba mitigar, aunque hubiera sido un poquito, su envidia. No le creo, no le creo, repetía una y otra vez. «Si de verdad se compra los vestidos con la partida presidencial, pues ahora que se vaya en el 2006 los tendrá que dejar a la nación o para que se haga un museo con ellos, o para que los vendan y que ese dinero se lo den al DIF». A pesar de su rabia y de su enorme resentimiento, esa tarde Sofía tuvo una idea: hacer un *garage sale* y vender todo su guardarropa. «Con ese dinero tal vez me pueda comprar una bolsa Louis Vuitton, aunque sea chafa como la que tenía Ana Cristina Fox…»

Luego de colgar por enésima ocasión con Sofía y de tratar inútilmente de consolarla y llamarla a la generosidad como opuesto de la envidia, movida por una curiosidad morbosa, me puse a revisar el material que la había puesto en semejante estado de descomposición. Una a una, las fotografías aparecían ante mis ojos, me sonaban en los oídos las marcas, los modelos, los nombres de las mujeres más famosas del mundo y empecé a flotar, a flotar en ese mundo tan extraño del glamour, de las texturas, del color, a final de cuentas, de las superficies; ¡ah, cómo me retumbaban también las orejas con las cantidades! ¿Qué nos mueve a comprar una prenda de 3 mil dólares? Sólo hay una explicación: SER. Ser para los otros. ¿Qué otra manera más efectiva e inmediata de comunicarnos con los otros? Sí, la verdad es que muchos están todo el tiempo enviando códigos en mensajes cifrados en seda, oro, pedrería y lino.

Es por eso que Marta compra, luego existe, pero el hábito no hace al monje, como se ve en el reportaje que apareció en *El Universal* sobre el guardarropa de la señora Fox, haciendo notar que tiene vestidos y trajes iguales a los que llevan la reina de España y la princesa de Mónaco. En las fotografías en donde aparecen Marta Fox y la princesa Carolina de Mónaco vistiendo exactamente el mismo traje Chanel lo primero que uno nota es que el elegante atuendo no se les ve igual. Carolina se ve esencialmente elegante. Marta se ve como que tiene puesto un traje elegante. *Nuance*, dirían los franceses. Es decir, esa pequeña inadvertible diferencia que separa lo que «es» de lo que «quiero ser». ¿Por qué se hace tanto notar Marta por su vestimenta? ¿Por qué se ve que gasta mucho en ella? Hay una manera de vivir la vestimenta que es esencialmente aristocrática y que, en cierta forma, expone a los plagiadores y los arribistas que siempre hacen demasiado, ejerciendo un permanente autocontrol de las apariencias queriendo conformarse al ideal canónico y por eso mismo se traicionan. La elegancia que consiste en no sorprender, cesa en cuanto se nota. La invisibilidad es su condición. A pesar de que la aristocracia, políticamente, jurídicamente, económicamente, ya no existe, sobrevive a sí misma socialmente gracias al encanto y fascinación que ejerce en la burguesía. Tiene entonces un poder simbólico que la clase media no tendrá jamás. Bien dice el refrán que *aunque la mona se vista de seda, mona se queda*. No es que se vea mona o monísima, sino que es *mona*. Por eso, en cuanto se llega a tener poder económico o político, lo primero que se hace es tratar de emular a esa clase aristocrática, condicionando al ser en parecer.

La esposa de nuestro presidente, no sólo es la primera dama, quiere parecer la Reina de México por que se atribuyó el poder para hacerlo. El poder que para ella es una especie de libre servicio. «Yo puedo», se ha de decir todas las mañanas cuando hojea el *Hola*, su revista favorita, para ver cómo van vestidas las damas de la realeza. «Tú puedes», le han de decir sus nuevas y ricas, nuevas ricas y pseudoaristócratas amigas de la *Sociedad de Admiración Mutua*, entre las cuales debe de haber una Rasputin(a) que la convence de que todo lo puede. *Ay, Martita, no le hagas caso a esas periodistas que te critican. Son una bola de envidiosas. Ay, Martita, gracias a ti pudimos sacar a los priistas de Los Pinos. Ay, Martita, qué importante eres para las mujeres; eres nuestro ejemplo, nuestra meta, nuestro reto y nuestra futura candidata...* «Nosotros podemos», se ha de decir la pareja presidencial en la intimidad de su pequeño Trianon en los Pinos. «Aprovecha la partida que tienes para tus gustos, digo, tus gastos, mi amor», le dice el primer mandatario. ¿Qué no hay una partida para que el pueblo se vista mejor? ¿Por qué no promover a algún costurero o modista mexicanos? Si tanto admira a Eva Perón, porque no *Evita* gastar tanto, aparentar lo que no es, porque no *Evita* estar siempre en las noticias, porque no *Evita* ser tan visible y distraer la atención con su frivolidad que no hace más que pensar en que es una constatación insistente y resignada de angustia. Si tanto quiere imitar a la aristocracia, porque no hace como las pseudo aristócratas mexicanas que tienen su costurera muchas veces chancloncita pero eso sí muy hábil que les copia los modelos de las elegantes. Por lo menos tiene a alguien que se puede mantener cosiendo. ¿Por qué no promover la alta costura local?

«Cómo se aprende cuando uno quiere y puede, sobre todo cuando se es esposa del presidente de México», piensa Martita antes de dormir. «Los Pinos es la gran escuela. Se aprende a mandar, a ordenar, a vestir bien, a maquillarse, a cambiar su apariencia para mejorar y a gastar para gustar. Cómo se mejora uno. Todo el mundo me dice que soy preciosa, que soy guapa, elegante, inteligente. Nunca se había visto una primera dama como yo. Tan trabajadora, tan lista, tan articulada. Me comparan con Jackie Kennedy por mi figura y elegancia, claro que tengo mejor marido que ella. A mi Vicente me adora y ni de chiste me pone el cuerno. Dicen que por eso ella gastaba tanto en ropa, porque John la engañaba a todas horas. Dicen que soy como Hillary pero mejor, y que si quiero, con el poder que tengo ahora, puedo llegar a ser la primera presidenta de México. Dicen que soy muy femenina y comprensiva con los hijos de Vicente. Dicen que no haga caso de críticas ni de libros escritos de pura mala fe. Y dicen que puedo... que todavía puedo... llegar muy lejos...»

Parece ser que tal era la presión que Jacqueline Kennedy sentía por las escapadas de su esposo en la misma Casa Blanca que ella se consolaba gastando fortunas en ropa de alta costura americana y a veces francesa. Givenchy era su modista preferido y lo escogió para que le hiciera la ropa que llevaría al viaje oficial a Francia con el general De Gaulle. Las malas lenguas cuentan que fue con uno de esos vestidos con el que presidente francés, se medio enamoró de ella. Por lo general, Jack su marido, que era millonario, financiaba los gastos de su esposa, que le parecían excesivos y tuvo que pedirle que hiciera un presupuesto al que debería de atenerse. *The Battle of the Budget*, rememorando el *Battle of the Bulge* de la Segunda Guerra Mundial, nombraban el encuentro de Kennedy y su esposa a propósito de sus excesivos gastos. A favor de Jacqueline podemos decir que siempre fue una mujer sumamente elegante, chic y sofisticada. Hablaba francés y español y en el viaje a Francia sostenía conversaciones de alto nivel con De Gaulle y Malraux, el ministro de cultura. Tenía conocimientos de la historia de Francia y en varias ocasiones sirvió de intérprete entre su marido y el presidente de Francia. Ella no aprendió estando en la Casa Blanca ni a vestir, ni a arreglarse, ni a recibir, al contrario la casa presidencial subió de categoría con su buen gusto y el sello tan personal que le puso en la decoración. El puesto de primera dama no la hizo a ella; ella le dio un lugar al puesto. Cuando tuvo que abandonar la Casa Blanca, dejó un antecedente que ninguna de las demás primeras damas ha podido emular y menos superar.

Madame de Gaulle, por su lado, cultivaba la in-vi-si-bi-li-dad. Siendo primera dama nunca cambió su estilo, para ella significaba una misión más de su esposo en bien de Francia. Siempre se vistió igual, con un traje sastre muy clásico y con joyas muy discretas. Nunca quiso llamar la atención. Siempre se mantuvo en su lugar. Jamás hizo declaraciones comprometedoras y nunca, nunca de los nuncas hablaba de sí misma.

María Antonieta de Francia no se contentaba con ser reina de Francia, también quería ser reina de la moda, de allí que sea la patrona de los diseñadores franceses. Sus extravagancias, excesos y gastos le valieron lo que ya sabemos. Fue la primera en usar tela estampada para un vestido. «Mira, la reina está vestida de cortina», comentaban sus enemigas. Su madre, la Emperatriz María Teresa, le escribía para reclamarle su conducta. Pero no hay que olvidar que la pobre M. Antonieta se casó a los 15 años y vivía en un mundo que la excluía de toda realidad. No hay que olvidar que la pobreza excluye pero la riqueza aísla. Curiosamente también el buen gusto produce el mismo efecto, aleja a los demás. Tal era el mundo en el que vivía, alejada de toda realidad, que se le atribuye haber dicho, cuando escuchó que el pueblo no tenía pan: «Pues que coman pasteles».

Imelda Marcos materialmente enloqueció de poder a tal grado que se convenció de su papel, creyéndose víctima después. Una vez que el gobierno de su marido cayó, al hacer un inventario de las cosas que había dejado en su casa, descubrieron en el *waking closet* de la señora Marcos 500 (quinientos) pares de zapatos. Muchos de ellos todavía sin estrenar y algunos de estilo idéntico.

¿Qué les pasa a las mujeres esposas de hombres en el poder? Cuando no se sienten, como algunas, cero a la izquierda, se sienten merecedoras de todo tipo de privilegios, derechos y halagos. Cuando regresaban de alguna batalla victoriosa, los generales romanos eran recibidos por el pueblo con grandes aclamaciones. Durante la procesión triunfal siempre estaba un esclavo junto con la obligación de susurrar al oído del héroe dos palabras: *eres mortal*, para advertirles en contra de las consecuencias del éxito y del poder: el orgullo, la arrogancia, el exceso de autoestima, la pérdida de perspectiva y olvido de la realidad. Hay que recordar que los dioses se encelan y el éxito provoca muchos enemigos. ¿Quién podrá recordarle a Martita que el uso gentil del poder para el bien de los demás es una de las más heroicas de las virtudes, por eso hay tan pocos ejemplos?

Parece ser que De Gaulle estaba muy conciente de la imagen que tenía que dar. El decía que no podía haber autoridad sin prestigio, ni prestigio sin guardar distancias. (Esto es lo que le falla a Fox: no sabe guardar distancias…) Dicen que De Gaulle copiaba lo que el llamaba «la manera estudiada» de César y Napoleón, que le daba importancia a una actitud teatral y pensaba que todos los hombres de Estado la practicaban también. Con lo que se nos prueba que todos están concientes del poder, de cómo proyectarlo. Unos, como De Gaulle, lo hicieron con estilo, *panache* y *flair*, otros caen en la absoluta ridiculez, como algunos dictadores latinoamericanos y los llamados «tercer mundistas». Lo mismo pasa con las esposas de los hombres de poder. Seguramente Marta piensa que tiene que darle brillo a la posición de su marido presentando una imagen, según ella, de primera dama de primer mundo. La señora Chirac, que es de una familia excelente, se presenta como siempre lo ha hecho. No da la impresión de que está estrenando ni ropa, ni situación. La señora Bush tampoco se ha salido de su estilo de vestir de gringa media. No cambió de peinado, ni se puso *Botox,* ni se maquilla en exceso. Mi opinión es que hay que desconfiar del poder, no importa en manos de quién caiga. Dice Burke que los que se han intoxicado de poder una vez y que han logrado algún beneficio propio, aunque sea por un corto tiempo, nunca quieren abandonarlo. Están como anclados a él. Y por ningún motivo lo quieren soltar…

Si la imagen es tan importante para Marta, bien podría ser más consistente con sus selecciones de vestuario, me refiero a mirar, y adquirir, prendas de diseñadores mexicanos. Así, cuando salga en toda revista de sociales, podría poner en la mira el buen diseño nacional, el cual no le pide nada a los diseños de casas internacionales. Esta podría ser una forma de consistencia, si tanto exclama, *¡Vamos México!*, pues que también aplique el *¡Vamos a comprar, pero la costura nacional! ¡Vamos a comprar cosas mexicanas para apoyar a nuestros obreros! ¡Vamos a comprar zapatos made in Mexico para proteger a la industria zapatera!* y apoye a este sector. La lista es amplia y variadísima, tenemos a un excelente modisto como Manuel Méndez (maestro de Enrique Martínez, que en paz descanse) que ha vestido a esposas de políticos, a artistas y a mujeres de sociedad; o bien se encuentran jóvenes diseñadores de alta costura y de *prêt-à-porter* como Edoardo Rocha, Blanca Estela Sánchez, Claudio Sala, Arturo Ramos, Mariana Luna o Alberto Rodríguez (quienes, punto y aparte, han salido en sendos reportajes especiales en la revista *Hola (Martita's favourite one)*, en tres ediciones sobre alta costura y *prêt-à-porter* desde México). Se sabe que Macario Jiménez, otro joven diseñador mexicano, ha realizado para Marta dos vestidos, uno de ellos especialmente para que lo llevara el día de las votaciones. Armando Mafud también ha realizado algunos diseños para ella. Hay que decir algo más en pro de que le sea diseñado su vestuario, los divinos diseños de

Escada, Chanel o de cualquier casa deben sufrir las más de las veces alteraciones para que le queden a Marta, como ella es línea *petite*, en algunos casos es necesario ajustarle a la prenda los largos, las mangas (que no sé por qué tiene la obsesión de no usarlas para nada o bien de llevarlas mucho más largas de lo que van. ¿Cómo olvidar el traje de novia? ¿Y cómo olvidar las medias en café claro-oscuro?), los contornos de cadera, cintura y busto y el ancho de espalda y sisas. Todo esto hace un martirio para quien tiene que desarmar y volver a armar la prenda, a la vez que nunca queda realmente perfecta. Por ello, la opción de mandarse a hacer su ropa a su medida es mejor, mucho mejor. Aunque no se le vea de marca extranjera, pero que le caiga bien.

La cuestión verdadera no radica solamente en quién la viste. Si hacemos un análisis de un todo en el *look Zamora* de Marta, la realidad salta a la vista: sus enemigas insisten en decir que el suyo es un *look* provinciano, hasta un poco ochentero *demodé*. Volvamos a las fotografías que publicó *El Universal,* del mismo traje Chanel en Carolina de Mónaco y en Marta Sahagún de Fox, la diferencia, como dijimos anteriormente, salta a la vista; mientras la primera se ve elegante e impecable, con accesorios que sólo resaltan la prenda pero que no la opacan, en nuestra Marta parecería que no recuerda la famosa frase de *less is more,* o la de *chic is simple,* aparte de sus ya clásicas mascadas tiene la mala virtud de ponerse prendedores, *too much, dear!* En varias ocasiones se ha vestido así, mascadas, prendedores y, en algunas fotos, ha salido con aretes que su peor enemiga se los ha de haber vendido. El asunto no termina ahí, el maquillaje de la señora de Fox tiene un gran y principal problema, se maquilla demasiado los ojos, parecería que trae capas y capas de sombras, y qué decir de sus largas pestañas con una cantidad tal de rimel que parece que en cualquier pestañeo se le quedarán los ojos cerrados ante el peso de tanta máscara. Si vemos a las grandes reinas, como la Reina Sofía de España, la Reina Silvia de Suecia, la Reina Paola de Bélgica, princesas como Carolina o las infantas Elena y Cristina de España o Victoria y Magdalena de Suecia y primeras damas como Ana Botella de Aznar, veremos que procuran un maquillaje sumamente discreto y acorde a su edad. Poco maquillaje y en tonos neutros no sólo dan un aspecto un poquito más natural, también ayudan a ser discretos con la edad.

«Esa imagen provinciana de Marta es más cercana a una señora clase mediera con ínfulas de postín y abolengo que a una dama que se codea con primeras damas, reinas y princesas», me dijo hace poco una amiga muy conocedora de estos asuntos. Tiene razón, la elegancia real cesa cuando se nota. No importa el prestigio y la elegancia de las marcas del vestuario, Hermès, Chanel, Escada, importa la percha, si quien porta una prenda no tiene la actitud y la sencillez de la elegancia sino que espera que éstas se la otorguen, cae en el error. Es notoria la diferencia.

En cuanto a los accesorios se refiere, sucede algo parecido, con el que ya se podría llamar *look a la Martita* tiende a apostar por piezas caras como el reloj Patek Phillippe (con un costo de 10 000 dlls) que usa, aretes de la Casa Berger (que van entre los 2 500 y 3 700 dlls), collares de la misma casa (de 3 500 a 4 700 dlls), su ya archí visto *Open heart* de Tiffany (1 075 dlls), mascadas de Hermès (290 dlls cada una), zapatos Ferragamo (de 350 a 400 dlls), bolsas Chanel (que van de 800 a 1 200 dlls, y de la cual tiene la bolsa 01, edición especial, como clara imitación a Jackie O.), bolsas Cartier (1 150 dlls) o zapatos de la casa Marc Jacobs (400 dlls). Y repetimos lo obvio: el éxito, y la fortuna del buen gusto, en las combinaciones de vestuario y accesorios no radica en los altos precios sino en la sutileza de cómo se usan. Los collares trenzados que usa Marta (los tiene monocromáticos, como el negro con el que aparece en la fotografía del reportaje anteriormente citado, titulado el «Glamour en Los Pinos», o de dos tonos, como el rojo con blanco con el que aparece en las fotos de *Hola*, en la edición del 22 de mayo de 2003), su pasión por los broches y prendedores, así como el desmedido uso de mascadas, la coloca entre una lista que no sobrepasa ni a las mejores ni a las peores vestidas, es decir, se queda en la medianía, en un estado letárgico de querer ser pero no poder. ¿Dónde guardará tantos broches, collares y aretes? ¿Cuántas cajoneras tendrán sus joyeros? ¿De qué tamaño será su guardarropa? ¿Cuántas zapateras tendrá? ¿Le regalará la ropa que no es de marca a sus primas pobres de Zamora? ¿Cuánto gastará en la tintorería? ¿Cuántas mascadas le regalarán sus amigas lambisconas por año? ¿Usará también ropa de dormir de Escada y de Dior? ¿Qué opinará su suegra de la forma en que se viste y gasta?

El asunto no sólo es de presupuesto presidencial permitido por la ley y si gasta fortunas en su vestuario y accesorios, aunque ella ha declarado «también tengo ropa que vale 5 y 10 mil pesos» (a lo cual yo agregaría que qué afortunada, si tiene una prendita nomás de esas cantidades que ya quisiera para dominguear una señora clasemediera que se viste de Julio o Zara), pero ¿qué tan seguido usa estas prendas? Tal vez las use cuando va a montar a caballo al rancho o, quizá, se refiera a playeras que no se pone y que tiene guardadas en su clóset. No sé, aunque estoy casi segura que debe tener un asesor de imagen, porque de aquel tiempo cuando era vocera de Presidencia al día de hoy ha tenido muchos cambios. Tal vez demasiados. El ejemplo más evidente es su rejuvenecimiento, la piel se le ve más lisa, las líneas de expresión se le han suavizado y tiene los pómulos un poco más realzados, ¿a qué se deberá ese milagro? Si se ve tan rejuvenecida, ¿por qué echarse encima más años con un maquillaje tan cargado?

No decimos que no tenga derecho de mejorarse. Al contrario, cuando se dejó despejada la frente, de inmediato pensamos que había sido un acierto, lo que decimos es que en su nueva personalidad de primera dama todavía existe mucha confusión. Por un lado, está muy segura y se siente muy apoyada por su séquito y, por el otro, se le advierte temerosa, como que todavía no sabe qué es lo que realmente le queda bien, ni qué imagen quiere dar. (¿Recuerdan la actitud que tenía el día de su boda? Apenas si se atrevía pedirle un beso a su flamante marido frente a las cámaras y si éste se lo daba, de inmediato ponía cara de felicidad y de gratificación. Cara de que no lo podía creer…) Tal vez no sabe si ser una señora muy sofisticada, o al contrario, mantener el estilo que tenía antes, es decir, el de una mujer profesionista que costea ella misma sus necesidades y sus caprichos. *To be or not to be,* ése es su problema. *To be or not to be* candidata a la presidencia. *To be or not to be* protagónica. *To be or not to be* una gran influencia para su marido. Y *to be or not to be* una primera dama con demasiado poder.

Ya Georges Perec puso el dedo en la llaga en su libro *Las cosas,* en el que una pareja de burgueses quieren pretender subir de escalafón social a partir de los objetos que los rodeaban, la ropa y sus gustos, con trágico desenlace. La sencillez y el dejar de pretender algo que no se es son la única salida para encontrar un estilo propio, personal. Marta podría empezar por presentar una imagen más auténtica, sin dar la impresión de estar estrenando situación o vestuario. Sería bueno que echara mano de los diseñadores mexicanos y promover dicho sector; así cuando le pregunten en una cena de Estado de quién es ese vestido tan bonito, ella podría contestar de mi diseñador de cabecera, que es mexicano. Hasta su presupuesto bajaría un poco ya que los costos de los diseñadores mexicanos distan con notable diferencia de los costos de los diseños de casas internacionales. Sus amigas de la *Sociedad de Admiración Mutua* también deberían probar este consejo. Si la mujer que nos representa a nivel internacional, nuestra primera dama, nuestra Martita, da una imagen de falsa elegancia, de pura simulación sin sustento, de pretendido empuje por parecer «una más» de la constelación de las grandes damas del mundo sin lograrlo, ¿qué pensarán en el extranjero de la realidad social, política y económica de nuestro país tan pobre y tan necesitado de tantas cosas?

En el tiempo que falta para que termine el gobierno de Fox, Marta se seguirá comprando muchas cosas. Le seguirán regalando muchas cosas. Continuará estrenando diariamente muchas, muchas cosas. ¿Se imaginan el guardarropa que adquiriría la señora Fox si llegara a ser la primera mujer presidenta de la República?

Que Dios nos agarre confesados… porque Marta se viste, luego existe…

Martita *detrás* de la silla

Nada más esto nos faltaba. Cualquiera diría que era obvio, pero siento que muy pocos lo veían venir. Y es que, si nos ponemos a pensar en sus primeras apariciones públicas, ¿quién se iba a imaginar la transformación que habría de sufrir la sencilla y correcta mujer que acompañaba en su campaña al candidato del PAN a la presidencia?, ¿qué le pasó?, ¿en qué agencia de viajes se compran boletos para semejantes *trips*? Ahora sabemos —nunca lo imaginó Einstein— que el ego viaja más rápido que la luz y que sí, sí sabemos lo que una mujer quiere, por más que Sigmund Freud haya dicho que era la pregunta fundamental de nuestra condición femenina. El o la que haya oído hablar a Martita *plenty of times*, seguramente se ha quedado en la duda, como que con la ceja arqueada en la incertidumbre. Así me quedé yo cuando, luego de leer declaraciones y verla en la televisión, mi inconsciente, terco como es, me recetó una buena dosis de palabras de Martita.

Entonces me surgió un sueño, sí pesadillezco y de negro nocturno: una voz con la ya conocida sintaxis coloquial tan personal de la candidata truncada: «Querido pueblo y puebla de México: ¿Que si está en el proyecto de Marta buscar la candidatura a la presidencia de la República? Diciendo como hablamos que tenemos que decir con la verdad, sí, sí y sí. Los panistas tendrán que oír el no o el sí en su momento, y ni ellos ni nadie, porque me parece que en eso yo en este momento no tengo la obligación, llegará el momento en que la tendré que asumir y decir sí, sí y sí, y ellos tampoco tienen que forzarme a poder tomar por ahora una decisión de esta naturaleza, pero como quiero hablar con la verdad digo que sí, sí y sí. Por eso hoy Marta se siente una mujer plena, una mujer feliz, afortunada, porque estoy llena de trabajo, porque estoy llena de entusiasmo, y mi motivación no son las encuestas. Señalo, manifiesto y confirmo, soy una persona que manejo mi vida con ética, y entiendo muy bien la ética como la búsqueda o la forma de vida apegada al bien y a la bondad como fin, ética igual a bien y bondad como fin, eso es lo que rige mi vida.

»Creo que el ir caminando con paso firme en lo que uno cree, eso es simplemente poder ir trascendiendo. Hay quien se escandaliza por oír la palabra trascendencia. Si los que me critican tienen otros conceptos, son sus conceptos que no comparto, pero simplemente como son sus conceptos, también los respeto, es su problema. Hay que decirlo con todas sus letras, sí, porque en ese sentido no hay que tener miedo, no hay que tenerle miedo a los retos; yo en algún momento lo tuve, y todos los días, quizá por diferentes circunstancias, tengo que irlos superando, pero eso mismo me permite estar llena de energía para ir superando esos retos. Sin embargo, a veces Marta siente un miedo que se ha venido conduciendo con ética y con responsabilidad. El que se reconozca la capacidad de una persona, también se gana y eso nos debe de obligar a permanentemente estarnos capacitando y aprendiendo, el que para todo solamente excluye, que para esto no, pues también para mí es un motivo de cuestionamiento, porque justamente para la Presidencia de la República una mujer, llámese como se llame, ¿por qué no? Si no estoy descartada, estoy encartada, de acuerdo, existe la posibilidad y es ahí donde yo no quiero que caigamos en el juego de las contradicciones, no es una decisión tomada, y al no ser una decisión tomada no hay implícito de manera tácita y de manera literal que yo quiero ser presidente de la República; pero yo digo que sí, sí y sí.

»En el momento que yo diga "yo quiero ser presidenta de la República", ya hay una decisión tomada, ¿están de acuerdo? Desde luego que yo nunca le he dicho al presidente: "sabes qué, yo quiero ser presidenta de este país", pero si yo misma no lo tengo decidido si me voy a postular o no. Pero digo que sí, sí y sí. Porque yo tengo rectitud de conciencia de lo que estoy haciendo, cómo lo estoy haciendo. Marta piensa que es necesario hacer una plataforma política, éste es el medio de poder alcanzar el poder. Pero no buscaría una organización preocupada y ocupada y es lo que me mantiene cerca de este proyecto humanista del presidente Fox.

»Los que estamos en Vamos México trabajamos con ética, lo que se dice ética profesional, porque buscamos el bien y la bondad de a quienes nos debemos, nuestros semejantes. Los mexicanos somos gente grande, somos gente bondadosa, que no nos enredamos con terminología que nos quiere confundir. La ética no es ni nada más, pero tampoco ni nada menos, que buscar el bien y la bondad.

»¿Que si Marta platica con su marido? Por supuesto que lo platicamos, por supuesto que este tema está en la conversación y en la mesa de los dos, y justamente él lo ha dicho y yo así lo señalo, manifiesto y confirmo, hay una relación en términos de pareja y en términos profesionales de proyectos de vida, primero y sobre todas las cosas proyecto de vida en común y repito absoluta y categóricamente por sobre todas las cosas es mi marido. Aprovecho para mandarle un besotote, Vicente, con todo mi amor. Les decía absolutamente que desde luego que lo platicamos lo de la Presidencia y yo creo que aquí es lo más valioso en una relación de pareja, libertad, libertad absoluta, y cuando uno decide el otro apoya, cuando él decide, yo apoyo, sin cuestionamientos, me apoya, es solidario y eso se traduce en aliento. Nuestro diálogo es el diálogo que dialoga una pareja bienavenida. Porque hay decisiones compartidas, las cuales yo comparto. El proyecto de Marta hoy por hoy es respaldar y trabajar a favor del proyecto del presidente. Y soy insistente, no porque Marta quiera defenderse a ella. Reitero, señalo, manifiesto y confirmo, sí tengo una institución llamada Vamos México que tiene que tener credibilidad y tengo una institución que no está hecha para un sexenio. Yo tengo una institución que hoy presido yo y hoy puede presidir quien la asamblea designe, pero que tienen que permanecer en el tiempo en que tengo yo de dejarla con un patrimonio sólido, que además esté al mandato en mi asamblea, tener un patrimonio no menos de 30 millones de pesos.

»Mucha gente dice: ¿por qué no se descarta Marta? Porque no. Porque no es una decisión tomada. Pero yo digo que sí, sí y sí. Es motivo para mí, responsabilidad que voy a asumir, si yo voy a actuar con absoluta congruencia las encuestas son una fotografía del momento. ¿Qué sucede con Marta cuando ve esas fotos? Lo que sucede es una enorme responsabilidad de trabajar intensamente como lo he venido haciendo. ¿Qué sucede en mi interior? Me motivan. Soy un ser humano. Déjenme, les comento también, porque creo que en este sentido se debe de ser absolutamente honesta, vivir en Los Pinos es una experiencia maravillosa, tienen sus distintas facetas, pero es una experiencia maravillosa y además es la mejor escuela.

»Sin duda alguna, hay quien señala, y lo señala bien, que hay inequidad porque estoy metida en esa escuela 24 horas al día y porque además tengo acceso a información, tengo acceso a la pantalla, a los micrófonos y demás, porque además hago un trabajo lleno de amor y de convicción por quienes más lo necesitan, entonces es un elemento más a considerar, por eso yo digo, yo creo que hay que hacer un ejercicio muy puntual de ¿cuál es?, ¿qué es lo que verdaderamente le conviene a nuestra nación?, ¿qué es lo que verdaderamente le asegura seguir por un camino correcto, por un cambio marcado por una buena cantidad de mexicanos a través de una política humanista donde trabajamos por los hombres y por las mujeres?, pero también tenemos que saber cuáles son los liderazgos que tienen las posibilidades reales de tener la Presidencia de la República. Por todo esto Marta piensa que sí, sí y sí. De lo que también estoy absolutamente segura, y es algo que no quiero, es que volvamos a mi pasado. Perdón, al pasado. De eso sí estoy segura, no quiero volver, no debemos de volver a ese pasado por el que dijimos ya no más, no estoy hablando de particularidades, estoy hablando de un nuevo México, de un México renovado, de un México que debe continuar por el camino del México y del progreso y un México donde los mexicanos tengan una mejor calidad de vida.

»Por último, mexicanos y mexicanas, les señalo, manifiesto, confirmo y reitero categórica, absoluta y totalmente que tengo compañero, no macho. Un compañero que comparte mis decisiones, que comparte mis ilusiones y que comparte mi proyecto de vida, aunque él diga que no le he tocado el tema. Pero no

importa porque Marta ya dijo que sí, sí y sí.» Dios, qué insomnio, qué pesadilla, qué mala noche…

Ay, ya no, ya no quiero hablar del asunto ni soñar el asunto, ya me cansé, ya me harté, es más, estoy saturada. Además de que el tema me irrita profundamente, siento que me deprime de más en más. Tengo la impresión de que al ocuparme de él, me repito, que ya se ha dicho todo y, lo que es más grave, que nos distraemos de los verdaderos problemas del país. Sin embargo, me temo que no tenemos de otra más que volver sobre lo mismo, es decir, acerca de la posibilidad de que nuestra primera dama se lance como candidata a la Presidencia, aunque ella ya haya tirado la capa al aire. Se han suscitado tantos y tantos comentarios, se ha abarcado tanto espacio en la prensa mexicana, se ha analizado tanto en la radio y en la televisión, y hay tantos otros problemas fundamentales y esenciales de qué hablar, que si pudiera le diría llanamente, y con el corazón en la mano, todo lo que pienso para ver si así se toma un segundo para reflexionar: Martita, en caridad de Dios, sé responsable, ¿cómo es eso de que te ibas a lanzar como candidata? ¿No te parece una absoluta falta de autocrítica? ¿Te das cuenta lo que representa gobernar un país como el nuestro con más de 100 millones de habitantes y con todos los rezagos que tenemos? ¿Te has preguntado cuál es realmente tu motivación? ¿Por qué lo hiciste, Martita? ¿Qué nadie te ha dicho el daño que le estás haciendo a tu marido? Créeme que lo haces parecer, no nada más en nuestro país, sino en el mundo globalizado, ya no como el típico esposo «mandilón», sino como a un primer mandatario débil e incapaz de gobernar ni a su esposa, y menos al país.

Tú dirás que ya no se usa ser esposa tradicional, que él te respeta y te apoya en todo lo que tú decidas, pero con todo respeto, Martita, ¿no será que lo manipulas demasiado? Acuérdate cómo lograste casarte con él. Siendo Vicente un hombre con convicciones religiosas que parecían ser tan profundas, por lo visto no le dejaste otra opción. Tienes que ser más generosa, pensar menos en ti, y situarte en el lugar que te corresponde. ¿Dónde dejas la humildad? ¿No te da pena tanta insaciabilidad? ¿Qué sientes ante todas las críticas, las caricaturas y análisis políticos contra tu persona? ¿Será falta de dignidad exponerse tanto como tú lo haces? Créeme, Martita, esas críticas ni son injustas, ni son calumnias, ni mucho menos mentiras, son análisis que corresponden a la verdad. Sí, ya sé que te estuviste preparando y que, parecería, has dado tu brazo a torcer. ¿No estarás abusando demasiado de tu posición de poder de primera dama? Ten cuidado con lo que ambicionas. Como le dijo el Quijote a Sancho Panza: «Has de poner los ojos en quien eres, procurando conocerte a ti mismo, que es el más difícil conocimiento que puede imaginarse. Del conocerte saldrá el no hincharte como la rana que quiso igualarse con el buey».

Si no recuerdas la fábula de Esopo, permíteme refrescar tu memoria: una rana vio en un prado a un buey, y envidiosa de tan grande opulencia, luego de inflar cuanto pudo su propia y arrugada piel, preguntó a sus hijos si así se parecía al buey. Respondiéronle que no y entonces por segunda vez ensanchó su piel y volvió a preguntar quién de los dos, si el buey o ella, era mayor. Ellos dijeron que aquél. Y entonces al esforzarse de nuevo por hincharse, la rana murió reventada. Pobre ranita y todo por querer ser buey. Tan feliz que hubiera sido aceptándose como era y en su contexto.

Tu marido te va a necesitar mucho más que el país cuando termine el sexenio. Acuérdate del canibalismo político mexicano, somos implacables. Cada vez más exigimos más cuentas a nuestros gobernantes. No me digas, Martita, que estás insatisfecha en estos momentos. ¿Qué más quieres? Tienes toooooodo. ¿Qué no se te antoja disfrutar a tu marido, a tus hijos y a tus nietos después de seis años de ardua labor? ¿Qué dicen tus hijos al respecto? ¿Y Ana Cristina? ¿Ya lo consultaste con tu papá, un hombre tan sabio y equilibrado? Sí, ya sé que tú te sientes con una misión y que seguramente hay mucha gente que te anima porque, aquí entre nos, han de pensar que van a sacar alguna ventaja personal y te han convencido, con base en halagos, que tú puedes. Como decía mi mamá grande, sé juiciosa, Martita, dale su lugar a tu marido. Ya no le robes tanta cámara. Ay, me da una lástima. No te olvides de que él es el presidente de México elegido por nosotros. Ya se sabe que eres el poder detrás del trono, pero ¿por qué a fuerzas quieres el trono? Porque dudo que te sea fácil soltar esa idea. ¿Qué no te gusta el rol de vicepresidenta? ¿Por qué haces oídos sordos a las innumerables voces que claman que seas responsable: Germán Dehesa, Riva Palacio, Denise Dresser y otros muchos periodistas muy prestigiados. Hablando de voces, ¿no será que estás oyendo voces como Juana de Arco? Ay, Martita, ya estate silencia y desempeña tu labor de primera dama, es una oportunidad muy bonita. ¡Cuántas señoras no estarían felices en tu lugar para poder ayudar a las mujeres: a las que ya mataron en Ciudad Juárez, a las que están en la cárcel, a las madres solteras, a las golpeadas, a las ancianas, a las enfermas de sida y a las indígenas de Chiapas!

Hay tantas cosas que hacer en nuestro país: las y los niños de la calle, las y los niños drogadictos, las y los niños que viven en las coladeras de la Alameda, y las y los niños violados, prostituidos y asesinados para robarles sus órganos. Si tú ayudaras en todo esto, créeme que ayudarías mucho a la nación. No te distraigas, no te confundas y no te la creas. Sé sincera contigo misma, en el fondo de tu alma tú sabes que no tienes lo que se necesita para ser presidente. ¿No estarás pecando de soberbia? Deberías de apoyar a una mujer como las que sí hay, con cualidades y preparación para poder llegar a ser presidente. Ya sabes a quiénes me refiero… ¡¡¡Vamos, Marta!!! Así le diría, con todo respeto, a nuestra primera dama si pudiera. Pero como no puedo, sigamos analizando sus pretensiones.

Pienso que Marta Sahagún de Fox es un producto de la crisis de líderes por la que estamos pasando y también es un producto de la prensa actual. Así como la ha usado para sus propios fines, ahora quiere manejar y dirigir, no nada más al marido, sino los destinos del país. Pero ¿qué tendrá la residencia presidencial que los que ahí han vivido durante seis años no quieren dejarla nunca? Seguramente a la familia presidencial actual le gustaría que se les apareciera un ángel exterminador, como en la película de Buñuel del mismo título, en donde ningún personaje podía salir de la casa. Marta no quiere salir de Los Pinos, ya le gustó. A ella, obviamente, le encanta vivir en las cabañas y está dispuesta a tomar los más grandes riesgos con tal de lograr su objetivo. ¿Cuál? El de quedarse otros seis años.

No cabe duda, doña Marta tuvo lo que se dice *a taste of honey* y, habiendo probado de tan cerca, de tan cerquita, las mieles del poder, ahora quiere más, mucho más. Martita se nos ha echado a perder, se ha alterado, ha trastocado la forma y está perdiendo proporciones. Se nos ha vuelto muy pero muy ambiciosa. La recordamos con nostalgia cuando sólo tenía una ambición, la de que Fox llegara a la Presidencia; después, la ambición de que la nombrara en un puesto importante y, después, tuvo la gran ambición de casarse con el presidente y ser la primera dama del país. Y claro, el siguiente paso natural, pensó, era ser ¡¡¡presidenta!!!

Pero bueno, como se dice: «la vida continúa» y para no deprimirme tanto con la actitud de nuestra primera dama, a mí me gusta evocar ese mambo que cantaba de chiquita y que dice con la tonadita de «María Cristina nos quiere gobernar...»: Marta María nos quiere gobernar, y no le sigamos, sigamos la corriente porque no queremos que diga la gente ¿quééé? Que Marta María nos quiere gobernar... Ay, qué bonito se siente recurrir al humor, a esa condición de la expresión irónica a la que tanto recurrimos los mexicanos en situaciones críticas. Nos salva el espíritu, nos reanima, nos hace ver la vida de otra manera. Cuando entramos a un callejón sin salida, vaya que la encontramos por esta vía. Pero... ¿quéééé?, que ¿quééééé? ¡A veces hay casos en que no basta! ¡No! ¡No, Martita, no lo hagas!

Pero yo me pregunto, ¿será que se ha visto influenciada por tanto *Hola* que lee?, ¿será que como no puede tener el poder social, el poder monárquico o el poder económico de las personajas que tanto admira en esas páginas, piensa que lo que le toca a ella es el poder político?, ¿cuál es el tipo de poder que sí puede adquirir? Me pregunto si no fue eso lo que la impulsó a cultivar a una de las mujeres con mayor poder político de nuestro país. Con ello, no consiguió salir más en las páginas del *Hola*, pero sí consiguió salir en todos los semanarios políticos y atrapar la atención de la opinión pública nacional, de los comentaristas políticos. Tal vez pensó que ser fotografiada con Elba Esther Gordillo la identificaba de inmediato como una persona con don de mando, con capacidad de liderazgo, con vocación para la vida pública.

Pero ¿por qué Elba Esther se dejó llevar por los devaneos de Los Pinos? Y también, ¿por qué Marta la escogió como aliada del momento? Es indudable que la respuesta es «Dios las hace y ellas se juntan». ¿En qué se parecen Elba Esther Gordillo y Marta Sahagún? En mucho. Por extraño que parezca estas dos mujeres comparten varios aspectos de su personalidad e intereses que, sin duda, las asemejan enormemente. A pesar de la diferencia de edad entre las dos, podríamos empezar enumerando sus similitudes físicas. En primer lugar, ambas son bajitas; lo más probable es que usen talla *petite*, tanto de calzado como de ropa. Por otro lado, las dos tienen el cabello teñido de rubio, un rubio dorado matizado con «luces». Esta opción —seguido incómoda por la presión de pintarse el pelo cada 28 días— nos habla de un deseo profundo por ser «güerita» en un país donde la mayoría de la población es de tez morena. ¿Se sentirán más seguras así de rubias? ¿Pensarán en efecto que los caballeros las prefieren rubias? ¿O porque *blondes have more fun*, como dice la publicidad? El caso es que cada una de ellas ha de padecer las mismas raíces negras y oscuras. Curiosamente se peinan con el mismo estilo, las puntitas de atrás ligeramente alzadas hacia arriba. ¿Quién copia a quién? Podríamos decir asimismo que tanto Martita como Elbita se maquillan exageradamente, sobre todo los ojos. Mientras que la primera trata de agrandarse los ojos, la segunda los tiene rasgados. Nos preguntamos si es a causa de los pellizquitos que se ha dado a lo largo de los años (curiosamente las dos tienen miedo a envejecer). Estas señoras, que ya son tan íntimas amigas, gustan vestir con ropa muy cara e importada, (adquirida en las boutiques de Presidente Masaryk, nuestro Rodeo Drive), sin importarles lo que gastan. Es de *vox populi* que las dos son muy consumistas. No nada más adquieren vestidos y trajes sastre   sino también costosos accesorios, como mascadas y lo que parece ser bisutería fina. Pero lástima que a pesar de todo el dinero que invierten en su guardarropa, por alguna razón, ninguna de las dos logra lucirlo con elegancia. (A las dos les encantaría pasar por niñas bien.) Por último y en relación a su estilo de vida personal, no hay que olvidar que las dos invirtieron mucho, mucho dinero en la boda de sus hijos.

En cuanto a su respectiva personalidad, también tienen muchos trazos que las asemejan. En primer lugar, estaría su conspicua ambición. ¡Ah, qué ambiciosas son las dos! ¡Ah, qué trepadoras y qué obvias nos resultan en sus ascendentes carreras! ¿Acaso las dos no hicieron todo lo posible por acercarse al presidente en turno? ¿Acaso las dos no están obsesionadas por la política? Es cierto que Elba Esther tiene más experiencia y conocimiento en la materia, en otras palabras, más horas de vuelo. Pero doña Marta nos ha demostrado que también tiene alas para emprender altos vuelos.

Queremos pensar que entre las dos existe un tema que quizá las oponga, pero que por lo mismo se atraen. Nos referimos al de Jorge Castañeda. Mientras que la profesora le manifiesta afecto y admiración, dicen que Martita no lo puede ver ni en pintura. ¿Será éste un motivo de fricción entre ellas? ¿O Elba Esther ya convenció a su «cuatacha» Martita que era mejor para su carrera política estar en buena lid con el ex secretario de Relaciones Exteriores? En el caso de la alianza de estas dos personajas (aquí sí vale el femenino), ¿quién de las dos utiliza a quién? Pensamos que aunque Gordillo tiene el saber, Martita tiene el poder. Mientras que Elba Esther asegura «yo sé», Martita asevera «yo puedo». ¡Combinación perfecta para una mancuerna con miras a tomar las riendas de todo aquello que se proponen!

¡Qué curioso que las dos estén, como dice el presidente: duro y dale, duro y dale para su respectivo proyecto! ¡Qué curioso que la primera dama sea católica, apostólica y romántica, y que la profesora sea agnóstica, utilitaria y pragmática! (Mientras que Martita se ha de encomendar a Dios, la profesora le ha de rezar a Maquiavelo.) Y finalmente, ¡qué curioso que ambas se preocupen por la educación de millones de mexicanos, cuando las dos actúan con tan poca educación con el secretario Reyes Tamez!

Cuando las vemos aparecer en los noticiarios de nuestras pequeñas pantallas, no podemos dejar de preguntarnos, ¿cuál de las dos tiene el ego más grande?, ¿qué sentirá la primera dama de la nación de tener que compartir el escenario con una posible candidata a la Presidencia del PRI? ¿Al haberse hecho tan amigocha de Elba Esther, también tendrá que serlo de Madrazo? Porque como bien dice el dicho norteamericano: *love me, love my friends*. ¿Se hablarán desde sus celulares todos los días? ¿De qué se platicarán? ¿De las intrigas de sus respectivos partidos? ¿De los editoriales de los periodistas negativos y envidiosos que no cesan de criticarlas? O bien, se concentran en los temas de educación. Algo que las asemeja mucho es su protagonismo, exhibicionismo y su triunfalismo. Imaginamos que su tema favorito es hablar de su pasado, el cual a pesar de haber sido tal vez modesto pudieron superarlo gracias a su tenacidad y a su desmedida ambición. No obstante la gran amistad que han establecido últimamente, imaginamos que cada una por su lado critica a la otra de lo mismo que es criticable.

Por último, hay que señalar que todos los conceptos manejados líneas arriba en modo alguno fueron motivados por un espíritu misógino, ni antifeminista. Si algo apreciamos, es la mujer que se atreve, es la mujer verdaderamente luchadora y la mujer que se vale por sí misma. Las que reprobamos son las arribistas, manipuladoras, falsas, autoritarias y dispuestas a lo que sea con tal de lograr sus propósitos personales. Ésas no nos gustan. Ésas pueden hacer mucho daño.

Como bien dijo Catón en alguna ocasión en su espléndida columna: Doña Elba Esther —que lleva a cuestas la ironía de ser llamada lideresa «moral» del magisterio— usa a su marioneta, cualquiera que sea el nombre de quien ocupa el cargo de secretario general del SNTE. Y «la señora Presidenta» —tal título le dieron en Europa— toma su inesperado estatus de esposa del presidente de México como base para sus particulares fines y para favorecer ideologías y propósitos que pueden ser buenos y bien intencionados, pero cuyo manejo desmañado terminará a la postre por dañarlos.

Que no se sorprenda el presidente que los periodistas estemos duro y dale, duro y dale, cuando en realidad es la misma señora Marta de Fox la que está duro y dale, duro y dale... Y también la que sigue duro y duro es Gordillo. ¡Qué bárbara, qué fuerza, qué tesón el de esta mujer! ¿Cuántos años lleva en la escena política protagonizando, una vez algún escándalo, otra vez alguna crisis de coyuntura? Cuando todos estábamos pasmados con la que se dio al interior del Partido Revolucionario Institucional en diciembre de 2003, yo decidí escribirle una cartita.

Querida Elba Esther:
He seguido muy de cerca la lamentable crisis que se ha dado en

el interior del PRI. Resulta de verdad triste y muy penoso que, en estos momentos de tanta incertidumbre para millones de mexicanas y mexicanos, un partido de oposición con la fuerza que tiene el tricolor se encuentre fragmentado, lo cual no hace más que entorpecer el diálogo con los demás partidos y, lo que es más grave, con el presidente de la República. No hay duda de que Fox pensaba que al ser tu amigo ya tenía su problema resuelto con la primera mayoría en el Congreso. Ahora se ha encontrado con que no es así. Y seguramente se encuentra muy preocupado porque tendrá que enfrentarse con muchas «mayorías», es decir, con Emilio Chuayffet, con Pancho Barrio, con Pablo Gómez y contigo.

 ¿Sabes qué pensé que podrías hacer para defender aún mejor tus convicciones y para exhibir todas las mentiras de Roberto Madrazo y las artimañas de Emilio Chuayffet? Escribir una carta abierta a todos los periódicos tal y como hiciera Émile Zola con su famosísimo *J'Accuse…!*, alegato que hiciera a favor del capitán Alfred Dreyfus el 13 de enero de 1898 y que se publicó en la primera plana del diario *L'Aurore*. La tuya, Elba Esther, no la enviarías al presidente de la República, como fue el caso de Zola, sino que te dirigirías a la opinión pública.

 Dices que no eres la Mujer Maravilla y sin embargo te puedo decir que me has maravillado en muchos sentidos (al igual que tu íntima Martita). Siempre me ha llamado la atención tu fuerza, tu vitalidad, pero, sobre todo, tus deseos de seguir adelante le pese a quien le pese. De allí que espero que en esta ocasión no renuncies. No, Elba Esther, no vayas a renunciar porque el hacerlo es una manera de aceptar que tienen razón los otros. Por otro lado, estoy consciente de que son 121 diputados los que están en contra de ti. Veamos, ¿qué es exactamente lo que te reprochan? Dicen que eres muy autoritaria e incluso soberbia. Dicen que no los tratas como

sus pares, sino como tus empleados. También dicen que los qui-
siste «maicear» regalándoles una *laptop* a cada uno de los 222
diputados. Tengan o no tengan razón, deberían de reconocer en ti
a una mujer luchadora que lleva 35 años en el partido.

Seguramente habrá muchos que no estarán de acuerdo conmigo, porque piensan que eres indefendible por tu trayectoria
como líder de los maestros, ya que no ha sido muy transparente.
Tal vez dirán que te estoy apoyando exclusivamente por causa de
género. Y tienen razón. Pero ¿sabes por qué lo hago, Elba Esther?
Porque me parece que tanto Roberto Madrazo como Emilio Chuayffet son políticos tan pero tan poco confiables, que no me sorprende que al unirse hubieran logrado uno de sus tantos propósitos,
deshacerse de ti. Les estorbas, Elba Esther. Tu personalidad y tu
fuerza los amenaza y los apabulla. Ciertamente no eres una perita
en dulce y te he de confesar que a mí misma me has irritado con
varias de tus posiciones. Pero, te repito, me maravillan muchos
aspectos de tu personalidad, como son tu habilidad política y tu
fuerza interior.

Mira, Elba Esther, si finalmente terminas por renunciar, te vamos a extrañar. En primer lugar vamos a extrañar la variedad de
tus peinados, porque, aunque no lo creas, siempre estoy muy al
pendiente de qué peinado usas; asimismo vamos a extrañar tus
entrevistas, siempre dadas con mucha contundencia; y por último, y perdóname mi atrevimiento, vamos a extrañar las caricaturas de los diarios (especialmente las de Calderón). Estoy segura
de que éstas nunca te molestaron, porque si algo tienes, Elba Esther, aparte de ser una mujer inteligente, es sentido del humor.

Ahora bien, respecto a Madrazo y a Chuayffet, es bien sabido
que el primero tiene un estilo muy particular con relación a sus
compañeros de trabajo. Primero les promete su apoyo incondi-

cional, para después dejarlos caer cuando ya no le son útiles. En lo correspondiente a Chuayffet, ¿cómo olvidar su contribución fraudulenta para que Montiel saliera gobernador del Estado de México? ¿Cómo olvidar su paso por Gobernación? Y ¿cómo olvidar su pertenencia al grupo Atlacomulco, con todo lo que esto significa? Todo el mundo sabe que Madrazo miente, tú lo dijiste: «Él hizo algunos compromisos y lamento decir que una vez más, como desde cuando hicimos la alianza, no cumplió. Me duele profundamente pero es la verdad y a ella me someto. No basta quedárselo pensando y no decirlo. Muchos problemas y muchas cosas se dicen de una servidora. Es falso que no haya promovido el IVA en alimentos y medicinas, fue Roberto Madrazo quien me dio instrucciones y con quien discutí y hablé de tal tema, particularmente el 5 por ciento».

Si finalmente te vas, Elba Esther, del partido, me pregunto, ¿qué sería de tu vida? ¿Pasarías más tiempo con tus nietos? ¿Empezarías a escribir tus memorias? ¿Viajarías mucho más? ¿Te convertirías en asesora de Fox? ¿En promotora de *La guía de Padres* con Martita? ¿Abrirías una universidad para mujeres con ambiciones políticas? ¿Regresarías a dar clases? ¿Te convertirías en colaboradora de algunos diarios? ¿Terminarías fundando un partido nada más para mujeres, del cual serías tú la candidata a la Presidencia? O bien, ¿nos darías una sorpresa fundando un nuevo hogar?

A pesar de todo lo anterior, te repito, no renuncies, Acúsalos, Elba Esther. Acusa a Madrazo, Chuayffet, Beltrones y a todos tus enemigos. Publica ese desplegado e intitúlalo «Yo también acuso...» Con toda mi solidaridad de género, Guadalupe.

No se imaginan lo que sentí cuando una de mis lectoras me dijo que por qué, si tanto me importaba la solidaridad de género, no apoyaba yo a Martita Sahagún en su campaña para quedarse con la silla presidencial. Sí, me dijo mi amiga, «Martita está detrás de la silla y sería buenísimo acabar de una vez por todas con el machismo. Una presidenta es lo que le falta a este país». Claro pero *of course* que depende de qué mujer se trate. Yo hasta le escribo cartas a Elba Esther porque esa sí que anda en un mundo de canibalismo no sólo político sino también con tenedores y cuchillos misóginos. Yo creo que las mujeres han ido em-po-de-rán-do-se, y qué bueno. Pero lo que me indignó fue que siempre he sostenido que justamente hay un tipo de mujer que es la que más daño hace a la imagen de las mujeres profesionales, exitosas y comprometidas, pues alimenta los argumentos más misóginos y machistas que desgraciadamente todavía existen en este mundo. Hay mujeres que salen victoriosas de las batallas, golpeditas y todo, pero con la frente en alto, estas otras mujeres abusan del poder en cuanto les cae en las manos, como una niña berrinchuda que le arranca los brazos a su nueva muñeca porque no se la dieron justo en el momento en que la quería. Y entonces retomo, veamos, me digo, Martita de primera dama a candidata… ¿Por qué no?, fue mi primera respuesta, luego vino la toma de conciencia y la pregunta obvia, ya sin interferencias de género, de amistades ingenuas ni parloteo ocasional: ¿estaría preparada Marta Sahagún para ser presidenta de México? Ahí se puso álgido el asunto, una cascada y torrencial lluvia de razones me vinieron a la mente, tantas fueron que de plano no me estaba dando abasto. Hago uso de mi discreción para anotar sólo algunas, que son las que más me convencieron:

Porque no califica, ni tiene las calificaciones necesarias, aunque haga exámenes cuyas preguntas seguramente nada más tienen que ver con su partido.

Porque no tiene una formación académica.

Porque sólo tiene la Universidad de la Vida, pero aún no se ha titulado.

Porque no tiene antecedentes políticos.

Porque no tiene más experiencia política que la que aprende con su marido, que no es político.

Porque su partido no la apoya y los que lo hacen es porque se mueren de miedo de caer de la gracia de Martita.

Porque con el título de primera dama no viene ningún diploma de conocimientos políticos, ni económicos, ni sociales.

Porque ser primera dama no quiere decir que como Mi Bella Dama se va a convertir en una fina política.

Porque no tiene los conocimientos ni la preparación de Hillary Clinton, egresada de Yale.

Porque confunde a Evita Perón con Isabelita Perón.

Porque nunca podría ser la Dama de Hierro, como Margaret Thatcher, egresada de Oxford; porque Marta es Totalmente la Dama de El Palacio de Hierro.

Porque la bandera es muy pesada y para el 15 de septiembre va a querer que le ayude su marido y la pareja presidencial, al unísono, dará el Grito.

Porque aunque es chatita no es de bajo perfil.

Porque quiere llegar al poder por todas las malas razones.

Porque es tan frívola que siempre está implicando: soy capaz de llegar a un lugar más alto.

Porque no estamos en Disneylandia, ni mucho menos en el País de las Maravillas.

Porque Schopenhauer decía que las mujeres eran seres de cabellos largos e ideas cortas y Marta nos ha probado que ella es de cabellos cortos e ideas largas.

Porque la Presidencia no es hereditaria.

Porque la residencia de Los Pinos no es Martalandia.

Porque va a tener su corte zamoresca de lambisconas.

Porque va a necesitar mucho tiempo para maquillarse, peinarse, hacerse manicure, pedicure, masajear, poner mascarillas, depilarse y hacer gimnasia todas las mañanas.

Porque va a tener al Primer Peluquero de la Nación, la Primera Maquillista, etcétera.

Porque va a imponer su moda.

Porque no es una figura del país.

Porque sale mucho en *Quién, Caras, Actual* y *Hola*.

Porque cree sinceramente que puede sólo porque quiere.

Porque Fox sería, el señor ex presidente, primer Caballero de la Nación.

Porque ella sería la señora Presidenta, ex primera dama de la Nación.

Porque en su casa las puede y cree que en el país también.

Porque tendría que criticar al sexenio de su esposo.

Porque es un pavo real al que no se ven los pies.

Y porque, finalmente, jamás votaría por ella.

Vamos México y los enredos de Martita y la Baronesa

En todas las entrevistas que le hacen últimamente a Martita, tanto en los medios escritos como electrónicos, dice que no tiene ningún proyecto político personal y que sabe perfectamente que en poco tiempo Vicente Fox dejará de ser presidente. Por lo que se refiere a Fox, es cierto, pero respecto a Martita, lo más probable es que ella continúe con su proyecto de la fundación Vamos México, el cual para entonces estará, gracias al gobierno de su marido, más que consolidado. Es obvio que no lo heredará ni a la señora Creel, ni a la señora López Obrador, ni mucho menos a la señora de Madrazo. ¿Se vale llevar hasta sus últimas consecuencias un proyecto que se formó paralelamente a un gobierno y luego quedarse con él? Por más que los mexicanos hemos palpado los primeros asomos de la democracia, todavía no nos atrevemos a decirle que no a la primera dama. Así es que donativo que pida Martita, donativo que se le envía en un dos por tres. ¿Sería lo mismo si lo solicitara la señora Marta Sahagún propietaria de una farmacia de Zamora?

Después de haber sido una hábil colaboradora y vocera del presidente, la primera dama tiene perfectamente claro el *know how* para acercarse a distintos ámbitos del poder para lograr sus objetivos. Por ejemplo, se ha hecho muy amiguita de las esposas (niñas-bien) de empresarios importantes e influyentes. Ellas naturalmente están *enchantées*, *very pleased* y en-can-ta-das porque a la vez de que apoyan a sus respectivos maridos, les entusiasma enormemente estar cerca del poder. De allí que le organicen pláticas, desayunos, reuniones. «¿Ya te invitaron a la comida de Martita en el Club de Industriales?», se preguntan entre sí. Si alguna de ellas no ha sido aún requerida, se moviliza de inmediato para conseguir la invitación. Está dispuesta a dar un súper donativo a Vamos México. Está dispuesta a humillarse frente a la organizadora y rogarle que la inviten. Está dispuesta a sentarse en la misma mesa que sus enemigas. Está dispuesta a trabajar gratuitamente en Vamos México. Lo importante es estar cerca de Martita, que la vean las demás señoras, tomarse la foto y acercarse a ella, para recordarle, a la primera oportunidad, que es una mujer valiente, inteligente, decidida, emprendedora, encantadora, sencilla, con muchos valores y totalmente distinta, *thank God*, a las otras primeras damas.

Con ese mismo modo tan bonito y tan dulce, sé que Martita les telefonea personalmente a algunos periodistas o profesionistas. Sé que los saluda por su nombre y que incluso los llama con su diminutivo. Si con la señora que está hablando se llama Josefina, le dirá Pepita. Si es Guadalupe, la llamará Lupita. Lo mismo sucede con los hombres. Si el señor se llama Alfonso, se dirigirá a él como Poncho, y si es Francisco, le dirá Pancho. Lo importante es quedar bien, es mostrar que la primera dama es sencilla, como cualquier ser humano.

Algo me dice que a Martita no le importan las críticas. Algo me dice que tiene la conciencia tranquila y que lo importante para ella es estar bien con el creador, es decir, con el Todopoderoso. También «allá arriba» tiene influencias excelentes. Esas pueden ser, precisamente, las definitivas para su proyecto personal. Aunque ya veremos si al final del sexenio le hacen el milagro a Martita. Mientras tanto Martita sigue de escándalo en escándalo, como el sucedido con Vamos México y el *Financial Times*, que publicó una nota a principios de 2004 sobre la forma en que es administrada la fundación, donde se encontraron algunas irregularidades, como que sólo donó 30 por ciento del total de los fondos (que ascienden a 153 millones de pesos) a las causas para las que se supone fue creada la fundación.

Dejo que la voz de la protagonista suene y cante bajo la batuta de las preguntas del periodista Leonardo Kourchenko:

Leonardo Kourchenko: ¿Usted [señora Fox] hizo alguna gestión para impedir que este reportaje se publicara [en el *Financial Times*]?

Marta Sahagún: Ninguna, absolutamente ninguna y se hace alguna gestión en algún momento con un medio de comunicación, me parece que simplemente pedir con objetividad, nada más, y te voy a decir por qué da el nombre de una Baronesa que no conozco y una de mis socias fundadoras. Sí la conoce y en una conversación en Londres salió esto en el tema y entonces simplemente lo que dijo mi asociada fue ojalá que cuando se saque esa entrevista se conduzca con apego a la verdad y si a ese comentario la reportera se refiere... Si alguien ha respetado el derecho a la información, ha sido a través de esta nueva administración del presidente Fox, simplemente me remito a los hechos y perdón que los tenga que referir de esta manera, cuántas veces y cuánto se ha dicho sin apego estricto a la verdad de lo que ha dicho Marta Sahagún (nótese como ya habla de sí misma en tercera persona. A lo largo de la entrevista recurre varias veces a la misma fórmula) ahí está en los medios, cuándo ha habido censura, ahora se dice que voy a demandar, no voy a demandar.

Leonardo Kourchenko: ¿La Baronesa, Patricia Rawlings, entonces le llamó a su editor en jefe del *Times*?

Marta Sahagún: Desde luego que existe esa posibilidad, porque no la voy a negar. Hubo esa conversación como amigas que son, ella es mexicana, lo que me ha dicho mi socia fundadora, y además no creo que tenga ningún reparo en que yo diga su nombre para que no diga que estoy ocultando: Liliana Melo de Sada, ella conoce perfectamente a esta señora, yo no la conozco, Liliana estaba aquí porque además me paso ya muchísimo en todos los trabajos de la fundación. Liliana estaba aquí, platiqué con algunos de mis socios de esta entrevista, platiqué y di a conocer por escrito a toda mi asamblea lo que yo estaba enviando como repuesta.

Lo anterior es parte de la transcripción literaria de la entrevista que le hicieran Adela Micha y Leonardo Kourchenco a la señora Fox el 3 de febrero de 2004 en el noticiero *En Contraste*. En ella, Marta Sahagún afirma no conocer a la Baronesa, lo cual nos sorprende, ya que Patricia Rawlings, además de ser la gran «amiga» de su amiga Liliana, es una gran activista social. Veamos quién es Rawlings. Simpatizante del partido conservador, es nombrada Presidenta del Consejo Nacional para organizaciones de voluntariado en 2002. Además, es ministro para Asuntos del Exterior de la Cámara de los Lores. Así mismo, Patricia fue de 1989 a 1994 miembro del partido conservador del Parlamento Europeo. Rawlings empezó su carrera en el hospital Westminster como asesora del Comité de ayuda para niños. Actualmente la Baronesa es patrocinadora del Afghan Mother & Child Health Care, además de ser miembro consultivo del Prince's Youth Business Trust. Y por si fuera poco es presidenta de la sociedad de la Cruz Roja británica de Londres y miembro consejero del consejo central para la educación y entrenamiento en trabajos sociales, vicepresidenta de la Delegación de relaciones con Albania, Bulgaria y Rumania y miembro de la Delegación de Relaciones con Estados Unidos. No hay duda que su trayectoria lo dice todo. Seguramente fue gracias a ésta y a todas sus relaciones que a Liliana Melo de Sada, *la asociada* de Marta, se le ocurrió llamarle no sin antes advertirle a su amiga: «Ay, Martita, tú no te preocupes. Patricia y yo somos ííííííííntimas. Te lo juro que es lindíííííísima, no sabes… Estoy segura que ella hará todo lo posible porque no se publique el artículo. Yo me ocupo. Tú tranquila…», le ha de haber dicho a la señora Fox. Y así lo hizo, le llamó para que *de favorcito le echara una mano e interviniera* con los directivos del *Financial Times* y así poderles trasmitir: *los temores de la primera dama de que la historia pudiera resultar parcial y* para saber cuáles eran los planes de la publicación, como nos dice la corresponsal Sara Silver en su espléndido reportaje «Casada con su trabajo».

Tan telefoneó a la Baronesa que nos comunicamos telefónicamente con Hugh Carnegie, editor en jefe del *Financial Times*, y nos lo confirmó. *She was concerned* acerca del artículo. *It was a kind of lobbying*, dijo Hugh al referirse al cabildeo que hizo la señora Rawlings para complacer a su amiga Liliana, a su amiga regia y a su amiga amiguísima de la primera dama. Pero tal vez ninguna de las dos contaba con el gran profesionalismo y ética de los funcionarios del *Financial*. Sinceramente dudamos que la Baronesa hubiera logrado convencerlos *aunque hubiera sido un poquito* de que vieran el reportaje *simplemente con objetividad*, como comentara Marta de Fox en la entrevista arriba mencionada. Basta con leer con cuidado el texto de marras para advertir que la llamada de Patricia resultó prácticamente inútil.

¿Qué habrá pensado Patricia cuando leyó el reportaje de Silver completito? Suponemos que no nada más se ha de haber quedado desconcertada, sino sumamente decepcionada de sus amiguitas mexicanas. Lo que tal vez ya no supo la Baronesa fue que no nada más la llamaron a ella, sino que la secretaria personal de la primera dama también telefoneó a la oficina en México de la embajada británica para «pedir información para contactar al dueño del *Financial Times* (que es una subsidiaria del grupo Pearson)», como nos dijo Silver.

Respecto a Liliana Melo de Sada, esposa del empresario Federico Sada y una «regia mecenas», como la llaman en su estado, es igualmente una mujer sumamente activa y muy reconocida en Monterrey tanto por su labor filantrópica, como por su constante promoción de la cultura. Ella, como la Baronesa, también tiene una trayectoria social sumamente rica. Desde 1990, Liliana es coordinadora nacional del programa ANSPAC en Vitro. Además es Presidenta del Museo del Vidrio. En 1998, fue nombrada consejera fundadora y presidenta del Patronato de Ballet, Música y Canto de Monterrey A. C. En 2001, después de varios años, dejó de ser coordinadora del Consejo Ejecutivo del Parque Ecológico Chipinque, para convertirse en presidenta de la Junta Directiva que rige a la Escuela Superior de Música y Danza de Monterrey. Y en septiembre de 2001, Liliana fue invitada por Marta Sahagún de Fox como socia fundadora de Vamos México. Hasta ahora ha acompañado a la esposa del presidente Vicente Fox en sus giras por Estados Unidos, Holanda y España, donde han difundido la acción de Vamos México.

En una entrevista que le hiciera nuestra compañera Mariana Figueroa del periódico *El Norte*, el 27 de mayo de 2003, dijo: «Pocas veces en mi vida me ha tocado ver a alguien que use el

TRANSPARENCIA

poder para hacer el bien sin mirar a quién». Liliana está convencidísima que Marta de Fox, es víctima de «la envidia humana». En esta misma entrevista Liliana defiende a capa y a espada a su heroína. «He trabajado con ella de la mano, es incansable, absolutamente entregada. Antes de conocerla, yo quería mucho a mi país. Ahora que lo conozco a través de ella y ver lo que se necesita, yo ya no quiero a mi país, lo adoro». Más adelante en la entrevista, Liliana dice que como presidenta de tres asociaciones a nivel nacional, vicepresidente de una y consejera nacional de dos, sabe perfectamente cómo se trabaja: «Y puedo decir que nunca me había topado con una persona que estuviera tan entregada a la causa, ¡En mi vida! ¡Nunca!» Cuando la entrevistadora le preguntó cuál era, según ella, la causa de Marta Sahagún, Liliana comentó: «Amor absoluto por su país, y como es una persona verdaderamente religiosa de corazón, muy espiritual, creo que ella piensa que ahorita está cumpliendo una misión junto con su esposo. Y creo que su misión es México, ayudar a los que más necesitan.» ¿Ahora entienden por qué Liliana Melo de Sada se ofreció de todo, todo corazón a telefonearle a su amiga la Baronesa para pedirle que llamara a los del *Financial Times*?

¿Qué pasó? ¿Quién trabaja para quién? ¿En quién creer? Ya no entiendo nada, todo me pregunto. Desde hace unos días me he convertido en un verdadero punto de interrogación. ¿Quién? ¿Por qué? ¿Cómo? ¿Cuándo? ¿Será verdad? ¿O será mentira? ¿A quién creerle? ¿Lo dijo o no lo dijo? ¿Hay transparencia o hay oscuridad? ¿Marta Sahagún presionó realmente al diario británico *Financial Times* para detener la publicación sobre los cuestionables manejos en los recursos de la fundación *Let's go Mexico*? ¿Están los porcentajes correctos o no? ¿Estará de verdad casada con su *job* como asegura la periodista Sara Silver o con Vicente Fox? ¿De quién se irá a divorciar primero? ¿Gastan más de lo que tienen o tienen más de lo que gastan? ¿Estará en lo justo la reportera o difama a nuestra primera dama? ¿Qué fue lo que despertó el interés del prestigiado diario londinense para hacer la investigación de *Let's go Mexico*? ¿Se habrá dicho el director *let's find out* al ver que en México hay un tema recurrente respecto a la manifiesta ambición de Marta Sahagún? ¿Qué habrá pensado Elton John que «generosamente» dio un concierto en el Alcázar del Castillo de Chapultepec al enterarse de que sólo se había donado a los pobres 10 por ciento de la cantidad recaudada? ¿Sabrá contar el contador de *Let's go Mexico*, ya que la reportera inglesa presume que los informes de las finanzas están plagados de errores, tanto en las sumas como en las restas?

¿Quiénes serán los donadores anónimos que dieron 40 mil dólares cada uno durante el 2002? ¿Qué interés podría tener un periódico de tanta tradición como es el *Financial Times* en difamar y mentir sobre la primera dama mexicana? ¡Dios mío, cuántas dudas, preguntas e incertidumbres! ¿Por qué siempre daremos la imagen de corruptos en el extranjero? ¿Por qué todas las noticias sobre México que se abordan en los diarios de otros países tienen que ver con chanchullos a la mexicana? Con razón ya nadie nos cree. Con razón ya nadie nos toma en serio. Y con razón dicen que las y los mexicanos somos puro cuento… ¿Por qué siempre si hacemos cosas buenas parecen malas? ¿Por qué tuvo que haber escándalo para que nos enteráramos sobre las finanzas de Vamos México? No me queda ninguna duda, vivimos en el país de los porqués.

Para entender mejor todo lo anterior, decidí buscar el artículo de la corresponsal en México, Sara Silver, del *Financial Times*. Quería conocer la versión de la periodista británica, ya que la que dio la señora Fox en entrevista con Adela Micha y Leonardo Kourchenko no me convenció del todo. A continuación transcribiré algunas citas que me llamaron particularmente la atención. Cuando la periodista se refiere a la fundación Vamos México, señala que … «las primeras damas en todo el mundo son conocidas por dedicarse a recaudar fondos para instituciones de caridad, pero la señora Fox ha decidido que necesita más… «Martita», como se le conoce quiere emular al icono de todas las primeras damas de toda Latinoamérica, a Evita Perón, estableciendo su propia fundación para trabajar para los pobres.» Líneas abajo Silver afirma que tal vez la señora Sahagún esté, en efecto, haciendo más que otras primeras damas, pero no alcanza a entender exactamente qué, porque como dice existe muy poca información independiente acerca de su patronato.

A la reportera, y con toda la candidez del mundo, Marta Sahagún nada más le dio parte del reporte de la fundación de 2002. Lo que sí está claro es que algunos de los asuntos de su fundación, incluyendo las relaciones con la prensa, son manejados por su *staff* personal en Los Pinos, y sus salarios son pagados con fondos pagados por los contribuyentes. Sara Silver insiste en decirnos en este reportaje larguísimo publicado en la revista *FT Weekend Magazine* del *Financial Times* que la fundación es un vehículo velado para promover sus ambiciones presidenciales. Más adelante la reportera cita a nuestra compañera Denise Dresser, quien le comentó que Marta tiene hambre de ser y hacer, de ver y ser vista, de trascender y dejar su huella, de utilizar el poder y de disfrutarlo. No importa cómo lo haga, si en nombre de la nación, de los pobres o del presidente.

Resulta llamativo cómo Silver hace hincapié respecto a los sentimientos que provoca esta mujer «tan controvertida» en la opinión pública: como a Eva Perón, muchos de la élite la odian. La ven como una mujer provinciana, sin educación, cuyas ambiciones superan sus capacidades. Que comercia el control de la agenda del presidente, que hace nombramientos y toma decisiones para favorecer a sus amigos y contribuyentes a su fundación. Pero entre los pobres de México y la clase media, la señora Fox permanece excesivamente popular. A Silver le sorprende que las buenas obras de la primera dama sean objeto constante de publicidad. Le sorprende asimismo que la señora Fox aparezca en shows televisivos distribuyendo comida a las víctimas de los huracanes, repartiendo bicicletas a alumnos rurales, publicando libros de texto como guías para padres de familia, consolando a mujeres golpeadas en los refugios y a los niños minusválidos en los orfanatos, etcétera, etcétera.

Siempre consciente de los medios, la señora Fox reemplazó la introducción del autor (?) de una guía sobre drogadicción con su propia fotografía e imprime el logo de su fundación en las bicicletas donadas y en estuches para ayudar a las comadronas rurales para que los nacimientos sean más higiénicos. He de decir que ya no me sorprendió lo que leí en relación al manejo que tiene la señora Marta con la prensa, me pareció tan familiar y tan absurdo a la vez que hasta me inspiró ternura: Marta invita a las revistas de celebridades a sus fiestas de cumpleaños y se gana el espacio en la primera plana de los diarios con entrevistas azucaradas sobre el amor que le tiene a su país y a su marido, el cual está curiosamente ausente de todos los desplegados donde aparecen las fotografías.

Es curioso que, así como hiciera la autora del libro *La Jefa*,

Olga Wornat, la reportera inglesa también se refiere a los abusos de los hijos de Marta. La primera dama negó esa aseveración, no ante los noticieros usuales, sino que se fue al popularisísimo programa de Brozo, que usa el humor para hablar sobre temas considerados demasiado delicados para ser tratados por otros conductores. Seguramente como resultado de esta entrevista con Brozo, el procurador general no vio ninguna razón para investigar la inexplicable riqueza que han acumulado los hijos de la primera dama. Según nos informa la corresponsal, la fundación de marras se rehúsa a nombrar a los 93 individuos que donaron un promedio de 40 mil dólares en 2002. Y la primera dama no ve ningún potencial conflicto de intereses al aceptar dinero de compañías reguladas por o haciendo negocios con el gobierno, tal como Telmex o Coca-Cola.

Silver nos dice que durante la mayor parte del tiempo de la entrevista la señora Fox veía al piso… como que le daba pena, como que no sabía si estaba haciendo bien al otorgar esta entrevista y como que, en el fondo, no estaba tan segura de las cuentas de su fundación. Entre las personas que entrevistó la periodista está el politólogo Alfonso Zárate, quien le dijo que la popularidad de la primera dama no le sorprendía: la cultura política mexicana carece de base democrática y entonces el pueblo espera actos caritativos para beneficiarlo. Lo que les gusta es que ella en efecto visita pueblos y les da algo. Lo único que restaría decir es que el reportaje de la británica es tre-men-do, es decir, *awesome*. La reportera es sumamente aguda, inteligente, clara y difícil de engañar. De ahí que aconsejemos a doña Marta que mejor se abstenga de dar entrevistas, porque después siempre las acaba componiendo. Siempre acaba diciendo que la difaman, cuando en realidad las entrevistadoras tan sólo repiten lo que ella les dijo.

El *Financial Times* respaldó 100 por ciento el reportaje de Sara Silver, lo que me pregunto es si realmente después de todo este intríngulis la gente de México —la común y corriente, los empresarios y potentados— seguirá creyendo que ayudar al país es darle fondos y más fondos a una cazuelita sin fondo y con fondos que no sabemos a dónde realmente van a parar. Después de autoeliminarse como candidata a la Presidencia para el 2006, Vamos México sería el proyecto personal de Marta Sahagún de Fox. La moneda queda en el aire: ¿Vamos México seguirá siendo una fundación para ayudar «a los más necesitados» o se terminará cuando el capricho se le pase (o se acabe el sexenio, lo que suceda primero) a nuestra primera dama?

El recuento de los daños

Llegó un nuevo aniversario del arribo del gobierno de Fox a la Presidencia, y Sofía optó por efectuar un balance de su propio desempeño sobre los últimos 365 días pasados, antes que hacerlo del presidente. «En lugar de criticar al presidente, de juzgarlo, de quejarme, de hacer chistes acerca de su persona, debería de aprovechar este aniversario para cuestionarme qué he hecho yo, yo, yo, yo...», se dijo, ayer por la noche, en tanto intentaba desmaquillarse un rostro cubierto por una nubecita de smog. Con un algodón humedecido con astringente se daba golpecitos sobre la piel a la vez que se preguntaba viéndose en el espejo del baño: «¿Qué he hecho por mi país? ¿Qué he hecho por los mexicanos? ¿Qué he hecho por el mundo? ¿Qué he hecho por mi marido? ¿Qué he hecho por mis hijos? ¿Qué he hecho por mis vecinos? ¿Qué he hecho por la paz en Afganistán e Irak? En este lapso tampoco he hecho muchas cosas eficaces. Es cierto que yo no prometí tanta cosa, pero ¿dónde está mi responsabilidad como ciudadana, como ser humano, como esposa, como madre y como colona? Como Fox, también yo he perdido mucho tiempo en frivolidades. Aunque gracias a las millas acumuladas de American Express también he viajado en exceso. ¿Acaso no me acabo de comprar un par de botas negras de marca Nine West en el P. H. de Polanco? Bueno, pero por lo menos las pagué en 12 meses sin intereses. Nada más tendré que pagar ¡250 pesos mensuales! También yo me casé el año pasado y tampoco fui muy discreta con la boda. Claro que no salió retratada en la revista *Hola*, pero no porque no hubiera querido, sino porque nadie me lo propuso, de lo contrario hubiera estado en-can-ta-da. Pero a pesar de estas babosadas, afortunadamente sigo siendo muy, muy popular entre mi marido, mis hijos y mis amigos.

La última vez que hice una encuesta personal, *thank God*, obtuve casi 78 por ciento de aprobación. Las que me desaprobaron fueron tres amigas porque dicen que siempre llego tarde a las citas y las dos trabajadoras domésticas. «Es que el aumento del salario que nos prometió desde diciembre de 2000, no lo hemos visto. También nos ofreció que nos iba a pintar nuestro cuarto y que nos quitaría la humedad del baño, pero todo sigue igual. Por eso mejor ya no le creemos», me dijeron las mal agradecidas. El que tampoco me dio el visto bueno fue el chofer. Según él, hace más de un año le prometí que lo ayudaría a conseguir un préstamo del Infonavit y también le dije que haría todo lo posible por inscribir a su hija en una secundaria de la Miguel Hidalgo. Es verdad, no lo he hecho, pero no ha sido por falta de voluntad sino de oportunidad. La verdad, ¡qué delicado! Como si fuera tan fácil... Afortunadamente, ya hablé con ellos y les dije: «No sean gachos, denme chance. Sean más tolerantes. Ya no se quejen tanto. A ver, ¿cuándo se van a encontrar a otra patrona tan reata como yo? ¡Nunca! No es vanidad, pero así como yo por Dios que ya no hay. Ustedes nada más cuentan a las malas. ¿No es cierto que les platico muchísimo, que les cuento todas mis cosas, que siempre les estoy preguntando a propósito de la salud de sus chiquillos? Ténganme paciencia. Se los juro que ahorita no tengo dinero para esas composturas de las que se quejan. Ya tendré el próximo año. En estos momentos mi presupuesto está en cero. ¿Qué no ven que lo de Afganistán e Irak le ha afectado a todo el mundo, incluyendo a la economía de las amas de casa? ¡Espérenme! Ya verán cómo les voy a dejar su cuarto. Se los voy a impermeabilizar, alfombrar, pintar y hasta tapizar. Y a usted, Ernesto, ténganme paciencia. Por lo pronto a su chiquilla le regalo mi computadora vieja. Pa' que se meta al Internet. ¿Qué le parece?»

En relación con sus amigas «envidiosas», como les decía, que se atrevieron a darle una calificación de menos de cuatro, les aclaró que si ya no querían frecuentarla, lo mejor era que se dejaran de ver. «En lugar de criticarme por todas esas babosadas, deberían de reparar en mis cualidades. Independientemente de mis retrasos involuntarios, ¿cuándo les he fallado? ¿Cómo quieren que sea puntual en un país donde todo el mundo llega tarde? ¿Cómo quieren que llegue a la hora exacta con el periférico?», les preguntó, para luego pensar para sus adentros: «¡Ah, qué viejas tan delicaditas…!»

Desde que Sofía era niña, nunca solía aceptar las críticas ni de los maestros, ni mucho menos de sus amigas. De ahí que a pesar de que se encontraba, durante su *toilette* de la noche, en pleno ejercicio de autocrítica, en ningún punto daba su brazo a torcer. ¿A qué se debía? ¿A una profunda inseguridad? ¿A una serie de complejos enquistados en su yo interno desde la niñez? O ¿a una soberbia exacerbada? Por llamativo que pueda resultar, su actitud se debía exclusivamente a la ingenuidad. Estaba ciertísima que su carisma, su simpatía natural y su don de comunicación eran más que suficientes para que todo el mundo la aceptara, incluso con algunos defectillos que tenía por allí. Sinceramente no se explicaba cómo a pesar de sus múltiples virtudes, alguien pudiera desaprobarla. «Pero, *Dieu merci*, mi esposo y mis hijos siguen creyendo en mí. Siguen creyendo en mis capacidades, en mi inteligencia, en mi gana de ver por ellos y en mi absoluta honestidad. Su opinión es la que más me importa. Las otras me tienen sin cuidado. Estoy segura que en unos meses pensarán todo lo contrario. Es cosa de tiempo», se dijo al terminar de ponerse en toda la cara, sin olvidar el cuello, su crema hidratante.

Una vez acostada, al lado de su marido, mientras veía las noticias en la televisión, de pronto vio en la pantalla de su aparato la encuesta de López-Dóriga en la que Vicente Fox aparecía con un porcentaje mucho menor en relación con su popularidad: «Ay, pobre muchacho, ¡cómo lo critican! Para mí que exageran. Digan lo que digan, a mí sí me cae bien. Me parece honesto. Es un hombre con muy buena voluntad. Los que de plano no lo ayudan en su gestión ni en su imagen son sus colaboradores. *Oh, my God*, y eso que fueron elegidos gracias a sus currícula... Como diría doña Lola: "No entienden que no entienden..." Muchos de ellos están peor que Fox. No son profesionales, son unos perfectos improvisados, no conocen la realidad del país y, por encima de todo, no tienen ni un ápice de carisma. Además, para acabarla de amolar, es evidente que no se soportan entre ellos. ¡Pobre de Fox! ¿Sabrá que sus peores enemigos son los supuestos panistas? ¿Por qué no harán una encuesta semejante respecto a la popularidad de Martita? Ah, ¿verdad? Estoy segura que ella también ha perdido un buen porcentaje. Es más, podría meter mi mano en el fuego que, de hacerse la encuesta, obtendría una calificación de menos tres. ¡Qué bueno que entre mis seres queridos yo saqué más de siete! Ay, pobre de Fox. ¿Y si hablara miles de veces al noticiario para que compense la baja? Ay no, qué flojera. Además, siempre está ocupado. ¿Por qué el presidente mejor no hace como yo, es decir, una encuesta privada en Los Pinos entre su esposa, hijos y ayudantes? Tal vez allí sí obtenga hasta nueve de calificación. ¿Y si saca menos tres? ¡Ay no, pobre!», pensó con los ojos un poquito adormilados. Pero quizá no sea tan buena idea, por que después de todo, pensó, con eso de la pareja presidencial se sentía como huérfana de presidente, pero con madrastra… Cuántas cosas han cambiado, Vicente Fox ha cambiado.

Pues diga lo que se diga, ya sea que se presten oídos a la opinión pública o a los voceros oficiales de la presidencia, sí existe, sí existe, categórica y rotunda, una diferencia notable antes y después del matrimonio imperial, perdón, presidencial. El presidente que todos queríamos y el que en realidad después de un año cambió a marido plenipotenciario de la nación. Llegamos a esta conclusión después de haber visto varias retransmisiones de entrevistas realizadas por CNI en la época de cuando era precandidato y candidato a la presidencia por el PAN. Rodeado por un grupo de periodistas como Raymundo Riva Palacio, Carlos Marín, Ciro Gómez Leyva, Cecilia Soto y otros más, Vicente Fox contestaba a sus preguntas con el estilo que lo caracteriza: llano, campechano, pero siempre con coherencia y sentido común. Nos queda claro que, entonces, no tenía las presiones que hoy lo agobian. Sin embargo, lo que era muy evidente es la transformación que ha vivido la personalidad de Vicente Fox. En esa época el ahora presidente era un hombre fresco, simpático, creativo, dicharachero, sin pelos en la lengua y con un carisma indiscutible.

Lo más llamativo de todo era lo que provocaba en los periodistas. Todos se veían encantados, divertidos y muy interesados de encontrarse frente a un personaje dispuesto a todo con tal de llevar al pueblo mexicano a la tan deseada transición. La misma impresión nos causó la espléndida entrevista que le hiciera Denise Dresser. A pesar de que sus preguntas asemejaban puñales bien filosos, el candidato las contestaba con una agilidad sorprendente, pero sobre todo con mucha seguridad de sí. Es cierto que se ha dicho una y otra vez que Vicente Fox siempre fue un excelente candidato, lo cual no nos garantizaba que se convirtiera en un excelente mandatario. Pero más que la personalidad de ese candidato tan *sui generis*, lo que advertimos con esos programas de televisión transmitidos entre 1998 y principios de 2000 es que su personalidad era distinta y otra la manera de comportarse ante la prensa y el público.

Todo lo anterior nos ha hecho concluir que, desde que apareció en el escenario la señora Marta como primera dama, la esposa incómoda, en lugar de ayudar al presidente, lo ha ido debilitando más y más, en especial ante los medios y ante buena parte de la opinión pública. Si partimos del 2 de julio de 2001, día en que Marta Sahagún y Vicente Fox se casaron en Los Pinos, y recapitulamos todas las situaciones desafortunadas en que ha incurrido, llegamos a la conclusión que su excesivo protagonismo no ha hecho más que vulnerar aún más la imagen del presidente.

Tal vez la primera manifestación que empezó a causar mucha polémica e incluso irritación entre la Iglesia y algunos panistas fue su matrimonio nada más por lo civil, a pesar de la falta administrativa al no informar a la Dirección del Registro Civil sobre la realización de su enlace. Meses después (21 de octubre de 2001) nació Vamos México. A partir de entonces comenzamos a escuchar de más en más sobre dicha fundación. Entonces no estábamos muy seguros de lo que se trataba esta institución.

Pero conforme pasaba el tiempo comenzaron las críticas de otras instituciones filantrópicas —especialmente el DIF—, que se quejaban de ya no recibir tanto apoyo porque el que solían recibir se dirigía al organismo de la primera dama. «No podemos destinar tantos fondos a tantas organizaciones a la vez», decían los empresarios ricos, a quienes les convenía más quedar bien con la señora Marta que con la Cruz Roja o con el DIF.

El 12 de octubre de 2001, cuando el avión presidencial estaba a punto de despegar de Praga rumbo a Hamburgo y en cumplimiento de una promesa que le había hecho a las reporteras, la señora Marta lanzó dos ramos de flores, para «las candidatas a casarse». Después vino el famosísimo beso de la «pareja presidencial», captado justo a espaldas de la Basílica de San Pedro. «Yo ni sabía de la foto, me llevó la señora Marta», confesó entre divertido y desconcertado el presidente. Todas estas manifestaciones suceden entre decenas de entrevistas dadas a las revistas del corazón. Mientras tanto, Luis Felipe Bravo Mena, dirigente del PAN, descarta a la esposa del presidente como posible candidata para el 2006, no obstante el jefe del Ejecutivo había dicho, unos días antes, que para ese año bien podría gobernar el país una mujer.

El primero de agosto de 2002 Juan Pablo II visita por quinta vez nuestro país. A pesar de que su Santidad no le había otorgado una entrevista especial, ella realiza un acto fuera de lo programado, lo cual causa gran molestia a su séquito. En esa ocasión Martita se deshacía en reverencias al cardenal Norberto Rivera y cuando tuvo al Papa enfrente no dejó pasar la oportunidad y posó sus labios en el anillo dorado e hizo todo lo posible por salir en la foto. Meses después, la Cámara de Diputados pide que se rindan cuentas de las verdaderas funciones de Vamos

México. Además, los senadores muestran su inconformidad sobre las declaraciones hechas por Martita sobre el año electoral 2003. A propósito de las sospechas que inspira la fundación de la señora Marta, se hacen varios reportajes en *Proceso* y otros semanarios. Sigue la polémica alrededor de su protagonismo. Vienen las críticas y los ataques en relación con su verdadero proyecto político. No faltan los chistes y la obsesión de la señora Marta por el trayecto político de Evita Perón. La irritación dentro del PAN es inevitable, la cual crea divisiones.

El 13 enero de 2003 la fundación Vamos México, la SEP, la Unión de Empresarios para la Tecnología de la Educación y la Asociación Nacional de Tiendas de Autoservicio firman un convenio para que los centavos que faltan para redondear las cuentas de los clientes en las tiendas se destinen a equipar primarias y secundarias. El 27 de enero el Ministro de Economía holandés, Hans Hogervorst, dio la bienvenida a Sahagún durante una reunión con empresarios como «la señora Presidenta». El 2 de febrero se firma la alianza con Elba Esther Gordillo en un convenio como líderes de la fundación Vamos México y del SNTE, y así poder distribuir en conjunto *La guía de padres*. Diez días después la vemos en la televisión orar durante el Encuentro Municipal para la Prevención y Tratamiento de las Adicciones. A principios de febrero, la señora Marta realiza una serie de visitas al Estado de México, que se encuentra en pleno proceso electoral. El 22 de febrero Vamos México y el SNTE organizaron una pelea de box en la Plaza México. El 24 de febrero, Isidro Pastor, el líder del PRI mexiquense, demanda a la señora Marta por utilizar recursos federales en un acto proselitista.

A pesar de todo lo anterior, el 28 de febrero el presidente de la República le dijo a sus críticos: «Todos aquellos que quisieran ver caer a la pareja presidencial, todos aquellos que están esperando a ver cuándo tropiezan, van a beber una sopa de su propio chocolate…», esto pasaba en un año de crisis y tropiezos económicos, un 2003 más bien gris.

Chocolate o no chocolate, lo que nos queda clarísimo es que la señora Marta, más que bien, le hace un daño terrible a su pobre marido. Y con tantos problemas por resolver en el país. Lo que hace más evidente el protagonismo extremo y errático que se difunde desde la cabañita de Los Pinos. Y entre beso, celebración y discursos, más de uno se queda solo, más que solo en este querido México.

Las que no están nada solas son las mujeres de Juárez, perdón la chiquillas de Juárez, qué parajoda, ¿no?, por que entre asesinos que se encuentran encubiertos, polleros, inmigrantes, policías que se hacen de la vista gorda, las mujeres de aquella frontera están siempre en la peor compañía. Pero también solas, sin el apoyo de la sociedad civil —que aunque ha tratado de poner el grito en el cielo se queda corta, y aquí sí se debería aplicar a fondo, pero nomás no lo hace—, y sobre todo sin la mano efectiva de las autoridades. *Oh, my God*, aquí una de las cartas incendiarias que calma el alma y da consuelo, dirigida a remitente específico:

Estimado presidente Vicente Fox Quesada:

Sé que ha decidido ya no leer los periódicos para no deprimirse. Tiene razón. No hay duda que resulta más que deprimente el enterarse, a través de la prensa (¡ay, siempre tan amarillista y morbosa!), que suman más de 249 chiquillas asesinadas en Ciudad Juárez. Créame, señor Presidente, que lo que menos deseo es aguarle la fiesta en que siempre parece encontrarse, lo que sucede es que desde 1993, año en que se empezaron a descubrir cadáveres de varias chiquillas, la mayor parte de ellas violadas y luego acuchilladas o baleadas, no se ha encontrado a los responsables ni se ha puesto en práctica en Chihuahua, tanto el Estado de derecho, como el respeto a los derechos humanos de las mujeres. Jamás se creó la Comisión Especial de la Policía Preventiva, ni se firmó el convenio de colaboración entre la Federación y el estado. De ahí que a la fecha, un gran porcentaje de esos asesinatos sigue sin ser esclarecido. Con todo respeto, señor Presidente, me pregunto si se enteró, no por los periódicos naturalmente, sino porque alguien imprudente pudo habérselo comentado, que recientemente se descubrieron ocho cadáveres más. ¿No sabía? No se preocupe. Así pasa. Tiene usted tantas cosas en la cabeza. Tantas cosas que le piden. Tantas cosas que resolver. La verdad es que no hay tiempo que alcance. A mí me pasa igual, señor Presidente. Si supiera con cuánta gente quedo mal. Ahora imagínese usted, siendo el presidente de más de 100 millones de mexicanas y mexicanos, ha de ser sumamente apabullante intentar resolver tantos y tantos problemas.

Sé que usted no descansa ni un solo minuto. Seguramente a sus semanas les han de faltar horas y días para sacar la cantidad de pendientes que ha de tener. De pronto viene el fin de semana; que hay que ir a su programa de radio; después a San Cristóbal, que hay que ir a misa, que hay que atender a Martita, a los hijos, a su madre, a las tías, a las cuñadas y ¡pum!, de repente aparece el lunes. Y va de nuez. No, si es el cuento de nunca acabar.

Lo que pasa, señor Presidente, es que respecto de los asesinatos de mujeres en Ciudad Juárez también es el cuento de nunca acabar. Si los criminales siguen a este ritmo, rapidito pueden llegar a aumentar hasta ¡300! ¿Se da cuenta la violencia e impunidad que esto representa para nuestro país? Ya en abril de 1998, el Comité Independiente de Chihuahua de Derechos Humanos hizo un pronunciamiento en la 55ª Asamblea General de la ONU denunciando la falta de interés y de sensibilidad por parte de las autoridades en los tres niveles de gobierno: federal, estatal y municipal. ¿Sabe lo que pensé el otro día? Que las mujeres de Ciudad Juárez, sobre todo las jóvenes que trabajan en las maquiladoras y en fábricas, las típicas víctimas de estos asesinos, viven un infierno aún más atroz que el que viven muchas mujeres afganas. Las chihuahuenses no llevarán una burka física, sin embargo están cubiertas por un velo de absoluta inseguridad que no las protege ni como mujeres, ni mucho menos como ciudadanas mexicanas.

No les estará prohibido trabajar, ni salir a la calle sin un varón que las acompañe, no obstante, cuando salen a laborar no saben si van a regresar a su casa. No les está prohibido maquillarse, pero las que lo hacen están expuestas a que las enjuicien, como lo hizo en 1997 el gobernador por el PAN, Francisco Barrio Terrazas, que culpó de manera reiterada a las víctimas. ¿Sabe lo que dijo? Que estas mujeres venían de familias desintegradas, eran migrantes y se caracterizaban por ir a bailar, salir con muchos hombres, para finalmente asegurar que «el número de mujeres asesinadas era normal». Con todo respeto, señor Presidente, pero cada día me convenzo más que en cada panista hay un talibán.

Leí un informe espléndido redactado por Sonia del Valle, integrante de Elige Red de Jóvenes por Derechos Sexuales y Reproductivos, A. C., en el que expone varios casos de mujeres asesinadas en Ciudad Juárez. Permítame transcribirle nada más uno de ellos: «Irma Pérez, madre de Olga Alicia Carrillo, quien desapareció el 10 de agosto de 1995, luego de que salió de la tienda de botas donde trabajaba, localizada en el Centro Comercial Futurama, dio aviso a la policía sobre la desaparición de su hija. Como respuesta, el encargado de la oficina de Averiguaciones Previas —departamento que se encarga de recibir las denuncias en la Subprocuraduría— le respondió «para qué se preocupa debe de andar con el novio. No se apure, señora, al rato aparece». Un mes después, el subprocurador de justicia de la Zona Norte, Jorge López Molinar, le entregó a su hija en una bolsa de plástico. Irma Pérez declaró que el subprocurador la obligó a reconocer que los huesos, los cuales iba sacando de la bolsa uno a uno frente a ella, eran de su hija. «Enojado me dijo que por qué no aceptaba los huesos y ya.» ¡Cómo me gustaría enviarle este informe! Después de que terminé de leerlo, tenía la carne de gallina y los pelos de punta. «¿De veras sucede todo esto en mi país?», me pregunté indignada. «A lo mejor Fox no sabe nada de todo esto. Como padre que es de dos hijas, estoy segura que si supiera ya hubiera ordenado que se creara una comisión federal multidisciplinaria que colabore con la Subprocuraduría de Justicia para la investigación.»

Es cierto que las características de Juárez son muy particulares. En primer lugar es ciudad fronteriza, que colinda al norte con El Paso, Texas, tiene una población migrante de cerca de 800 mil personas, existen cerca de 500 empresas de la industria de la transformación, autopartes y electrónica, con más de 300 mil trabajadores, le hago notar, señor Presidente, que 70 por ciento es del género femenino; dada su cercanía con el estado de Sonora y el de Coahuila, hay tráfico de droga, crimen organizado y pandillas. Seguramente tampoco sabe que en 1997 se registraron 918 asesinatos vio-len-tos. Como también imagino que ignora que ese mismo año se tenía conocimiento de la existencia de 640 «picaderos» (sitios donde se vende, se compra y se consume heroína), pero según datos no oficiales recabados por las legisladoras federales del Congreso de la Unión, la cifra podría llegar a mil quinientos. Por añadidura, se calcula que diariamente llegan a Ciudad Juárez mil personas en busca de trabajo o con el objeto de cruzar la frontera. De ahí que exista una red de «polleros» que por mil dólares llevan a los migrantes al otro lado. Ciertamente todo lo anterior no ayuda en nada para que las chihuahuenses tengan más seguridad.

¿Sabe qué es lo más triste del caso, señor Presidente? Que prácticamente todas las víctimas son ¡chiquillas! Las edades oscilan entre los 13 y los 18 años. Además, hay que tener presente que por lo general estas mujeres, antes de ser asesinadas, fueron violadas y torturadas. «Homicidios que presentan idéntica mecánica en cuanto a la forma de perpetrarse, edad y fenotipo de las víctimas, así como posición, lugar y manera en la que fueron abandonadas. Datos que han conducido a las autoridades a la hipótesis de que se enfrentan con un criminal o criminales en serie.»

Por último le digo, señor Presidente, que una mañana me desperté repitiendo una oración: «¡Ni una más en Ciudad Juárez!» La dije en susurros, después más fuerte y terminé diciéndola a gritos. «¡Después de nueve años ni una más de las 249 chiquillas asesinadas!»

Atentamente. Una ciudadana que sí lee los periódicos.

Cuando soñamos que soñamos está próximo el despertar.

NOVALIS

Cuando nuestra afamada y vilipendiada selección nacional perdió contra Estados Unidos, sentí que estaba llegando al fin de un mal sueño. Lo único que podía pensar es: «¡Qué bueno que el Tri no participará más en ningún partido de la Copa Mundial de futbol Corea-Japón! ¡Qué bueno que México fue eliminado! ¡Qué bueno que el Vasco reemplazó a Morales por Luis Hernández! ¡Qué bueno que el «carismático» Bruce Arena preparó tan bien a sus muchachos! ¡Qué bueno que McBride metió el primer gol antes de los diez minutos! ¡Qué bueno que Donovan no dejó jugar a Torrado y que anotó el segundo gol! ¡Qué bueno que el árbitro portugués no vio la mano del defensa estadounidense en plena área chica, lo que hubiera significado penalty! ¡Qué bueno que ya no se verán partidos mexicanos trasmitidos por la televisión, ni local ni por Direct TV! ¡Qué bueno que el tricolor es bueno contra los buenos y malo contra los malos! ¡Qué bueno que Sky no pudo trasmitir los juegos! ¡Qué bueno que a pesar de estar los momios siete a uno, no aposté ni un centavo! Y finalmente, ¡qué bueno que ya no me sienta obligada, por mi patriotismo, a ser testigo de un partido más de futbol!

No, no estoy loca, ni soy apátrida. Tampoco soy una cínica, ni mucho menos indiferente a lo que le importa a mis paisanos. Créanme que estoy consciente de los momentos de alegría que nos dieron los jugadores de la selección de México. Estoy consciente que el haber perdido contra Estados Unidos nos confrontó, una vez más, con nuestros fantasmas históricos. Asimismo, estoy consciente que hay jugadores mexicanos que merecen aún mayor proyección que la que tienen. Allí está Rafael Márquez, jugando en Barcelona; Torrado y Palencia participando en otros equipos españoles, y otros que lo merecerían como Morales y tal vez el Conejo Pérez. Es cierto que contra Italia, la Selección nos dio una demostración de madurez futbolística. Millones de mexicanos fuimos testigos de la habilidad de Borgetti anotando el bonito gol de cabeza y de espaldas a la portería italiana. ¡Cómo lo festejamos y nos sentimos orgullosos! Por otro lado, las últimas semanas en que participó México en la Copa del Mundo nos hicieron soñar, unieron familias, nos dieron festivos temas de conversación, nos permitieron especular, aprender y, de nuevo, darnos permiso de esperanzarnos con un deporte inteligente y divertido.

Por lo que a mí respecta, durante ese lapso fui una alumna amorosa de los conocimientos futbolísticos de mi marido. Todo le preguntaba y todo lo sabía. Lo cual hizo que me acercara aún más a mis hijos varones para hablar sobre un tema que no solía abordar. Aprendí muchísimo. Aprendí que para ganar un partido se requieren varias herramientas, además de la condición física y de la técnica del entrenador del equipo, el factor suerte es fundamental. Corroboré que el peor de los pecados de un equipo de futbol es la soberbia. Como la soberbia que hizo perder a los franceses y a los argentinos. Aprendí que la solidaridad o la generosidad, que viene siendo casi lo mismo, entre los jugadores es imprescindible para poder ganar. Aprendí a disfrutar a los comentaristas de deportes de los medios, especialmente a José Ramón Fernández, a Menotti, el ex entrenador de México y Argentina, y a Ponchito. Aprendí que hay menos crímenes y robos durante los mundiales en prácticamente todos los países. Aprendí que el futbol no es un asunto exclusivamente de hombres, que las jóvenes generaciones de mujeres no nada más lo siguen porque hay jugadores guapos, sino que lo practican. Aprendí que hay una jerga futbolística que es muy aplicable a otros órdenes de la vida, como la política. Aprendí que la derrota viene cuando se cree haber ganado. Aprendí que la eficacia de cada equipo se refleja en la compenetración que une a los jugadores entre ellos. Aprendí que el futbol es un juego de estrategias, de psicología, de sociología y hasta de filosofía en algunos casos (¿meto un gol, luego existo?). Y por último, aprendí que a pesar de estar plagado de lugares comunes, algunos de estos son ciertos, como por ejemplo: «¡Sí se puede, sí se puede!»

Sin embargo, estoy contenta de que para México eso se terminó. Si lo celebro es por salud mental. De no haber perdido la Selección mexicana, de no haber sido eliminada de la Copa Mundial de Corea-Japón y de haberle ganado a Estados Unidos, hubiera tenido que soportar, una vez más, las escenas entre chabacanas y patéticas de Vicente Fox vestido de pants y chiflando; a Martita con su playera blanca pero sobre todo con su actitud de: «Gracias a Vicente y a Dios estamos ganando». Hubiera tenido que ver al gabinete compuesto por verdaderos chiquillos y chiquillas, haciendo la ola en Los Pinos. Una ola triste, una ola desangelada y una ola totalmente mediocre y forzada. Hubiera tenido que ver, nuevamente, a Castañeda apapachando con tanta efusividad a Xóchitl Gálvez, a quien seguramente nunca antes le había hecho el menor caso. De haber ganado el Tricolor, hubiera tenido que soportar a la susodicha titular de Asuntos Indígenas dando brinquitos, espetando una retahíla de palabras altisonantes (¡Uta, es que se puso la cosa de la chingada...!) e invocando al cielo, con las palmas de las manos juntitas, por un gol más. (¿Por qué incurrirá la encargada de Asuntos Indígenas en actitudes tan lamentables e infantiles? ¿Por qué nadie le dirá que se ve y se escucha muy fuera de lugar cuando insulta y trata de actuar dizque con frescura y espontaneidad?) Hubiera tenido que padecer el estilo tan campechano y tan poco futbolístico de Javier Usabiaga celebrando los goles mexicanos, mientras que el campo mexicano se está muriendo. Hubiera tenido que ver la cara de Alejandro Gertz ensimismado en las complejidades balompédicas en las primeras planas de los diarios capitalinos. Hubiera visto a Nelson Vargas aplaudiendo cada gesto de su jefe. Hubiera tenido que soportar a un gabinete gris actuar con absoluta falsedad, como para darnos a entender que todos se llevan muy bien entre ellos y que hay absoluta armonía. Y por último, hubiera tenido que soportar programas y más programas de televisión de mesas redondas con legisladores improvisados como expertos del «arte futbolero».

¿Ahora entienden por qué en el fondo estoy tan contenta de que hubiera perdido la Selección mexicana? Créanme, queridos lectores, que me deprimieron mucho más las escenas del gabinete de Fox, que aparecieron tanto en la tele como en los diarios celebrando los triunfos del Tri, que su propia derrota. Ese estilo y ese comportamiento del gobierno resultan, a mi manera de ver, mucho más dramáticos que la eliminación de México. ¿Usted qué cree? ¿Estaré exagerando? ¿O estaré en lo cierto?

La que me sorprendió el otro día fue Sofía, y la verdad me hizo sentir menos apátrida. Ya no era la única que podía decir cosas tan alarmantes en voz alta. Me dijo muy quedito al oído: «No se lo vayas a decir a nadie, pero los extraño...», en el salón de belleza. «¿A quiénes?», le pregunté en tanto hojeaba el ejemplar más reciente de la revista *Hola*, para ver si aparecía el matrimonio Fox. «A los priistas...», comentó entre susurros. «¿A quiénes? ¡Estás loca! ¿A poco extrañas a Mario Moya Palencia, a Bartlett, a Espinosa Villarreal, por cierto qué pasó con ése, eh? ¿Extrañas a Salinassssss? Ay no, Sofía, ¿qué te pasa?» De pronto la miré y me di cuenta que tenía que la cara roja, roja por lo que acababa de confesarme. Sin embargo, admiré su valentía y honestidad. «A ver, dime, ¿qué es lo que extrañas de ellos?», le pregunté con una voz apenas audible. Sinceramente sí tenía temor de que nos oyeran nuestras vecinas.

Lo más seguro es que Sofía me haya sentido un poquito más solidaria al haberla invitado a que me explicara cuáles eran sus razones para añorar a los políticos de un gobierno que le hizo tanto daño al país. A partir de ese momento, mi amiga tomó la palabra y no la soltó hasta que se la llevaron a lavar el pelo para quitarle el tinte. «¿Por qué recordaste el nombre de los peores? También fueron priistas el general Lázaro Cárdenas, Ortiz Mena, Reyes Heroles, Carrillo Flores, Mario Ramón Beteta, Muñoz Ledo, Torres Bodet, Martínez Báez, Agustín Yáñez, Jorge Castañeda de la Rosa, don Manuel Tello, Silva-Herzog abuelo, José Gorostiza, Jaime Sabines, Fernando Solana y Luis Donaldo Colosio. Ahora en la ocasión de la Asamblea General del PRI, he estado reflexionando mucho acerca de los de antes. ¿Sabes qué es lo que más extraño de ellos? Su profesionalismo. Su falta de improvisación. Las noticias en los periódicos eran más interesantes. Es cierto que robaban, pero sabían gobernar y nadie andaba hablando de babosadas como del calzado del presidente. No teníamos que fletarnos fotos cursis de recién casados en una edad adulta. Aunque no se publicaba en los diarios, era más divertido el chisme de sus supuestas amantes y las de los demás secretarios de Estado. Las primeras damas no abarcaban tantas columnas. Cuando viajaban al extranjero las notas periodísticas no se limitaban a comentar ni las metidas de pata, ni las torpezas de algunos secretarios. Además, los priistas tenían un léxico más rico; en cambio los panistas son como muy cuadrados al hablar. Los priistas expresaban sus ideas con metáforas elaboradas. Estoy segura que todos ellos sí sabían quién era Jorge Luis Borges. Los priistas tenían más cultura. ¿No te acuerdas que López Portillo siempre hacía referencias alrededor de la literatura universal? Citaba mucho a Cervantes. No nada más era un lector voraz, sino que también era autor de libros. Creo que uno de ellos se tradujo hasta en ruso. Créeme que las biografías de estos ex presidentes eran súper interesantes. ¿No las has visto en el programa de televisión de Clío realizado por Enrique Krauze? Como que sus vidas de jóvenes habían sido mucho más intensas que, por ejemplo, la de Abascal, que ni siquiera ha leído *Aura* de Carlos Fuentes. ¿Ya leíste la autobiografía de Fox? Híjole, te lo juro que es para llorar. En el libro de Jorge Castañeda, *La herencia*, me enteré de muchas cosas de la vida de estos ex mandatarios.

»Mira, cuando Echeverría y López Portillo eran universitarios hablaban de Marx y de Hegel, como eran muy amigos se fueron juntos en coche hasta los Andes. Hicieron la Ruta de Cortés. Ambos vivieron la expropiación petrolera como un gran acto nacionalista. Fox ¡nooo sabía la fecha de la expropiación! ¿Te das cuenta? Habiendo sido muchos de estos ex presidentes alumnos de la Escuela Nacional Preparatoria, conocían perfectamente bien el Centro Histórico. ¿Sabes qué? Algo me dice que cuando los panistas van al Centro ¡se pierden! Como que no conocen las calles de la ciudad, ni tampoco el país. Han de llevar una vida tan *boring*. Se han de acostar a las nueve de la noche, antes de que empiece el noticiero, porque han de considerar que hay demasiadas malas noticias. No me los imagino del tipo bohemio, ni entonando las canciones de Agustín Lara, como estoy segura que hacen los priistas. Seguramente sus conversaciones se concentran sobre los éxitos escolares de sus chiquillos y de los próximos matrimonios de sus hijas e hijos. Los más tradicionales critican la reciente unión civil de Vicente y Martita. ¡Ah, cómo han de criticar aquel beso mordelón frente a San Pedro! Porque éstos, naturalmente, nunca se han de echar ni una canita al aire, pero no por fieles, sino por hipócritas. Los panistas cuando viajan han de visitar puras catedrales, monasterios y conventos. Cuando van a Roma, nada más visitan el Vaticano y compran muchas bendiciones, estampitas y rosarios bendecidos por el Papa para sus familiares. Son capaces de alargar su viaje con tal de obtener una audiencia privada con el Santo Padre. Tengo la impresión de que prefieren ir a Madrid que a Londres, porque allí los entienden y se hacen entender mejor. En otras palabras, ¡son hombres sin biografía!»

Sofía estaba aceleradísima. Entre más hacía la radiografía de los panistas, más se exaltaba. Era evidente que la nostalgia priista la invadía a tal grado que parecía que deliraba. «Pero, Sofía, ¿por qué tanta desilusión, desencanto y resentimiento? ¿Esperabas tanto de ellos? ¿Por qué te creaste tantas expectativas? Si votaste por Fox, ¿por qué ahora lo quieres botar?» Sofía tomaba conciencia de su desahogo desproporcionado. Tuve la impresión de que a pesar de que había hablado tan claramente, no sabía verbalizar como hubiera querido sus sentimientos de frustración. Para mí no es que extrañara a los priistas lo que la hacía hablar en ese tono, era su absoluto desencanto. «Sofía, ¿no estarás así por todo lo acontecido después de los ataques terroristas del 11 de septiembre?, ¿por la suerte de Irak?, ¿por los ires y venires entre el PAN y el PRD?», le pregunté para ayudarla a comprender mejor su actitud de desesperanza. ¡Nunca lo hubiera hecho!

«¡Terrorismo, el de aquí! ¡No puedo salir a la calle! Tengo miedo. Me siento rodeada de Bin Ladens por todos ladens, digo lados. Mis amigos gringos están enojadísimos conmigo. Todavía hoy, hoy, hoy, me están reclamando la falta de solidaridad que tuvo México hacia Estados Unidos. No puedo creer que Martita no le haya telefoneado a Laura Bush, para, por lo menos, decirle: *I am personally very sorry*... Durazo se las sabía de todas a todas en el mundo de la delincuencia. No te olvides que *it takes a thief to catch a thief*. Por eso controlaba tan bién la ciudad. Ya ni sé para qué vengo a pintarme el pelo y a peinarme, si ya no voy a salir de mi casa.

»Todos mis regalos para la siguiente Navidad los voy a comprar por Internet. ¿Sabes qué le voy a pedir a Santa Claus? Que Fox escuche a algunos priistas, ¡los buenos, que sabrán aconsejarlo! Le voy a pedir que Martita se haga amiga de Dulce·María y de Beatriz Paredes. Y por último, le voy a pedir que le mande todas los currícula de algunos priistas que valen la pena, para que elija a tres o cuatro secretarios como hizo para formar su gabinete. Estoy segura que con ellos tendrá mejores resultados...»

Ya no quise insistir sobre el tema, pero confieso que me dejó pensando...

Lo que se me vino a la mente después de escuchar a Sofia era decirle que sí había consuelo. Gracias a la revista *Proceso* (núm.

1286), nos enteramos de unos oportunos mensajes que circulan por los círculos del gobierno, y nos dan ánimo en un instante... Unos mensajes optimistas que la gente de Los Pinos escucha muy a menudo. Y esos mensajes en verdad que levantan el ánimo, y olvídense del psicólogo y el terapeuta, *darlings*. ¿Cómo?, ¿no saben a qué me refiero?, bueno pues se trata de los teléfonos de la red de Los Pinos que no deja de sonar cada tres segundos para el equipo presidencial: «Ring, ring, ring», suena constantemente el teléfono rojo. ¿Quién llama tanto? ¿Cuál es la urgencia por comunicarse con la vocera de la Presidencia? ¿Qué tienen que decirle con tanta premura los funcionarios foxistas? Se trataba nada más de una frase. Una frase de apoyo. Una frase de «apapacho». Una frase que, aunque pequeñita, transmite buena voluntad y optimismo. Una frase que nos recuerda aquellas que suelen publicarse en algunas tarjetas de Hallmark. Y una frase que encierra mucha filosofía, pero sobre todo un enorme sentido de la amistad. Hela aquí: «Estoy contigo, aguanta, aguanta, somos equipo, no pasa nada». ¡Qué bonito! ¡Qué solidaridad existe entre los panistas! ¡Enhorabuena que puedan apoyarse entre sí de esa forma tan cálida y generosa! ¡Qué espíritu de cuerpo reina entre los foxistas!

«Aquí trabajamos como equipo, aquí nos damos fortaleza. Incluso, cuando un funcionario foxista está en el centro de los reflectores, incluyendo al propio presidente, alguien llama por la red para decir: estoy contigo, aguanta, aguanta, somos equipo, no pasa nada», confesó Marta Sahagún en entrevista. La frase es preciosa. Además de estimulante, viniendo de la boca de los panistas, ¡tranquiliza! Da esperanzas. De allí que piense que podría convertirse en un magnífico eslogan publicitario del Partido Acción Nacional, sobre todo por que el presidente nos aclaró que, finalmente, sí habia «atorón» en la economía del país.

Veamos algunos ejemplos en los que recibiría estas hermosas palabras de aliento: «¿Siente que ya no le alcanza su quincena y que unos días antes de que le paguen la que viene, siempre termina con 200 pesos en el bolsillo? Estoy contigo, aguanta, aguanta, somos equipo, no pasa nada. Vicente Fox.» «¿Está usted desesperado porque lo acaban de despedir de su trabajo y teme no encontrar chamba? Estoy contigo, aguanta, aguanta, somos equipo, no pasa nada. V. F.» «¿Se vio obligado a sacar a sus hijos del colegio privado por falta de dinero, y por añadidura no lo dejan dormir todas las deudas que tiene? Estoy contigo, aguanta, aguanta, somos equipo, no pasa nada. Vicente Fox.» ¿Por qué si los panistas se encuentran tan optimistas y de tan buen talante, los que no lo somos estamos siendo tan negativos y escépticos en relación con su gobierno? ¡Qué injustos! ¡Qué amargados! ¡Y qué perros!

¡Aguantar!, eso es lo que tenemos que hacer. ¡Aguantar con paciencia! ¡Aguantar con fortaleza! No importa que ya hubiéramos aguantado más de 70 años. No importa que durante ese larguísimo periodo hubiéramos conjugado el verbo aguantar en todos las personas y en todos tiempos verbales. Al fin que somos un pueblo bien aguantador, gracias a lo cual hemos desarrollado una verdadera cultura del aguante. Pensemos que en el PAN saben trabajar en equipo y que como tal harán que el país salga adelante. ¿Por qué seremos, a veces, tan alarmistas e impacientes? La verdad es que no aguantamos nada. Luego, luego, estamos criticando y quejándonos. Y allí estamos de fijados. Sinceramente, qué poco aguante. ¿Hacer todo un circo porque se derrumban el empleo y la producción en ocho estados de la

República mexicana? No es para tanto. ¿Hacer un escándalo pavoroso porque ya despidieron a 20 mil burócratas federales y todavía faltan 50 mil más? Ay, no es para tanto. ¿Preocuparnos por el inicio de «una nueva etapa de guerra contrainsurgente» en diversas comunidades que simpatizan con el EZLN? ¡Qué exagerados! ¿Por qué cuando nos asalten este tipo de inquietudes a los «contreras», no mejor aprendemos a decirnos muy quedito, como se dicen las jaculatorias: «Están con nosotros, aguantemos, aguantemos, somos equipo, no pasa nada»?

Hagamos de esta frase tan hermosa nuestra consigna, nuestra réplica a los malos tiempos. Escribámosla en nuestros corazones. Repitámosla, tomados de la mano, a nuestros amigos y familiares. Cerremos los ojos y pronunciemos estas palabras desde el fondo de nuestro ser: «No, no pasa nada. Allí están ellos. Están con nosotros. ¡Son equipo! Están unidos. Entre ellos no existe el menor desacuerdo. Más solidarios que ellos no existen. Es un equipo que trabaja con valores, pero sobre todo con un código de ética. No, no, pasa nada». Pero ¿por qué si el presidente se siente «tan alegre, tan fuerte y tan animado», como aseguró en una de sus tantas entrevistas, millones de mexicanos nos sentimos medio tristones, debiluchos, desanimados, pero especialmente preocupados? ¿De dónde sacará tanta energía positiva? ¿Será por todas esas llamadas telefónicas que le llegan por la red y que invariablemente le recuerdan: «Estoy contigo, aguanta, aguanta, somos equipo, no pasa nada»? ¿Será por eso que él sí ve la vida color de rosa mientras muchos la advierten color de hormiga?

El único inconveniente con esta medida era recibir los preciados mensajes, ¿cómo le hacemos para recibirlos?, ¿cómo haremos para que también nos llamen a nuestras casas, aunque no estemos en esa red y nos digan esa frasecita tan linda y tan alentadora? ¿Cómo haremos para creer realmente en ella y, por lo tanto, adoptarla por completo? ¿Cómo haremos para que, al repetirla, sí se oiga sincera?

¿Por qué para que la memoricemos mucho mejor, no la inscribirán en todos los espectaculares del periférico y los pocos que, desafortunadamente, ya existen a lo largo de la carretera que va hacia Cuernavaca? ¿Por qué no la escribirán en los cielos como esos anuncios de marcas de cigarro de los años cincuenta que se escribían con humo? ¿Por qué no mandan a hacer, con esta misma inscripción, calcomanías para los tres millones de vehículos que circulan en la ciudad? ¿Por qué no la incluyen en una de las estrofas del himno nacional? ¿Por qué no la reproducen a lo largo y ancho de todas las playas del país? ¿Por qué las fondas de comida corrida no forman esta frase en la sopa de letras que sirven para que al ingerirla los comensales nunca se olviden de ella? ¿Por qué no la inscriben en la Cámara de Diputados con letras de oro? ¿Por qué los Tigres del Norte no componen con ella un corrido y lo ponen en altoparlantes en el Metro? ¿Por qué López-Dóriga no pregunta en la encuesta que suele hacer en su noticiario de las diez de la noche si los mexicanos estamos realmente dispuestos a seguir aguantando, aguantando, aunque no seamos equipo? ¿Por qué al que sí es equipo, es decir, a la selección de fútbol, no le sirve para nada este aforismo?

«Aguanta, aguanta, no pasa nada, en este consultorio somos un buen equipo», deberían de decir, de ahora en adelante, los dentistas. «Aguanta, aguanta…», le dijo seguramente su entrenador a Soraya Jiménez. ¿A quién más habría que decirle, en buen plan, que aguante porque de verdad que no pasa nada, ya

213

que todo está bajo control del equipo de Fox? A los zapatistas; a las víctimas de asaltos; a los despedidos; a las chiquillas y chiquillos de la calle; a los maestros; a los pescadores que quieren que les bajen el precio del diesel; a los priistas; a los empresarios; a los futuros indocumentados; a los padres de familia que tienen que pagar nuevas inscripciones; a La Güera Rodríguez Alcaine; a los pensionistas; y por último a los más de 40 millones de mexicanos que viven en extrema pobreza. Especialmente a ellos el presidente Vicente Fox debería recordarles: «Estoy contigo, aguanta, aguanta, somos equipo, no pasa nada.»

Sea como sea, ante estos tiempos de falta de entusiasmo, huyamos, recojámonos y perdonémonos nuestros pecados, así como perdonamos los de los demás. Amén.

Posdata

A ningún mexicano en su sano juicio le gusta oír hablar de traiciones; de madres dolorosas que pierden a sus hijos del otro lado de la frontera; de los buenos ladrones; de Marías Magdalenas partidistas; de divinos rostros; de mujeres muertas en el desierto; ni mucho menos, de crucifixiones económicas. Que si la Reforma fiscal nomás no va para ningún lado, o la energética, que si el peso pesa menos cada día, que si los dinos regresan al poder, que si ya descubrieron otro fraude, que si la ecología le ha dado de comer a un partido familiar, en fin. Cada vez que oyen hablar del aumento del IVA en alimentos, medicinas, colegiaturas y libros, sienten que Francisco Gil los lleva a un vía crucis dolorosísimo. Y en lo único en lo que se piensa es en huir. Huir de los gritos de Javier Alatorre; huir de las encuestas de López-Dóriga; huir de la publicidad gubernamental que no deja de recordarnos que hay que pagar impuestos para que no haya pobres; huir de las expresiones coloquiales de nuestro presidente; huir del «feminismo» de Abascal y por último huir de las apariciones hasta en la sopa, de las declaraciones, opiniones y entusiasmos de Martita Sahagún de Fox. Sí, todos queremos huir, para ya no oír, ni tampoco ir y venir, sino vivir y sentir que la vida vale la pena disfrutarla, a pesar de los gobiernos, los partidos, las reformas, la globalización, los medios de comunicación, la impunidad y la corrupción. Pero la verdad es irrefutable, el recuento de los daños está a la vista de todos, aunque propongo algunas salidas:

1) Nuestros gobernantes no están a la altura de sus consignas morales. No hay credibilidad. Un presidente católico, divorciado, que se casa en segundas nupcias, con otra divorciada. Además el carácter, ha faltado carácter, de toooodos los actores políticos que se han subido a la escena nacional de los últimos años... Así que amerita que ca-da-u-no-de-no-so-tros nos hagamos más firmes de carácter para no caer en los mismos errores políticos del pasado.

2) Cada vez existe un mayor índice de desempleo, pero cada vez más existe la iniciativa y el consenso de apoyar a Martita en su cruzada por desaparecer a los pobres del país, empezando por ella misma. ¡Vamos México, salgamos del hoyo!

3) Ya que los créditos bancarios son ínfimos, raquíticos y cuestionables, recuerde aquellos índices de crecimiento que nos prometió el gobierno del cambio. Cambie de estrategia, erija su propia fundación con la venia de Martita, por supuesto.

4) Si recuerda aquella promesa de impulsar a la industria nacional, también recuerde los últimos desplantes de la primera dama que *Hola*, *Proceso*, *Actual*, han dejado al descubierto al reseñar los fastos de moda y celebración que ha procurado Martita. Por lo tanto, procure usted, inteligente y querido lector, no creer en las apariencias y sí en los hechos.

5) Querida señora, ya no hay que emular a Martita en su vestuario, regresemos a la sencillez. Los tiempos no están para comprar ropa de Chanel, Armani, Escada o zapatitos de Marc Jacobs.

6) No existe una Reforma fiscal que nos asegure un mejor México, como el que nos vendieron en las campañas electorales.

Pero sí hemos recobrado el sueño de una pareja imperial, si no nada más vea cómo Vicente y Martita se codean con la aristocracia europea, sudamericana, o llanamente *nice* de la nación. Aprenda usted y su esposa de ellos, se codeará con la crema y nata de postín de nuestra sociedad.

7) Si usted cree que vive en un país de impunidad y corrupción, no se atormente, no se deprima. Lo único que tiene que hacer es repasar la historia de amor que hemos vivido en los últimos años al lado de Vicente y Martita para regresar al País de las Maravillas en el que charros cantores y la flor más bella del ejido se pasean por una tierra de sueños. Aunque al final el consuelo se rompa, habrá quedado la dicha de la ilusión perenne.

8) Y finalmente, estimado lector, saber que si en este gobierno no alcanzamos a solucionar nada, existe la esperanza de que una mujer —¡y qué mujerón!— no llegue a ocupar la silla presidencial...

Índice

Simplemente Martita, de Guadalupe Loaeza
se terminó de imprimir en abril de 2004 en
Litográfica Ingramex, S.A. de C.V.
Centeno 162-1, Col. Granjas Esmeralda
México, D.F.

Certificado No. 02-2082